Corrado Conforti · Linda Cusimano

Linea diretta nuovo

Corso di italiano per principianti

Lezioni e Esercizi

1b

Guerra Edizioni

Per la preziosa collaborazione durante la produzione e sperimentazione del libro, ringraziamo le colleghe ed amiche Gabriella De Rossi, Mariangela Porta e Luciana Ziglio.

3. 2.
2009   08   07   06   05

Edizione originale:
© 2003 Max Hueber Verlag, 85737 Ismaning, Germania
Copertina: Zembsch' Werkstatt, Büro Sieveking, Monaco di Baviera
Disegni: Monika Kasel, Düsseldorf
Progetto grafico: Büro Sieveking, Monaco di Baviera

© 2005 Guerra Edizioni, Perugia, Italia
Stampa: Guerra guru s.r.l. - Perugia
Printed in Italy

ISBN 88-7715-736-4

Indice

LEZIONE 1	Ci vediamo domani	p. 8

Ascolto:

Ci vediamo domani

Intenzioni comunicative

Elementi morfosintattici

Letture:

Una commedia musicale di successo
Una lettera

invitare; rammaricarsi; esprimere delusione; convincere; accettare/rifiutare un invito; ringraziare

il **passato prossimo** dei **verbi riflessivi**; i **pronomi indiretti**; il **superlativo relativo**; l'aggettivo **bello**

LEZIONE 2	Che taglia porta?	p. 20

Ascolto:

Che taglia porta?

Intenzioni comunicative

Elementi morfosintattici

Letture:

Piccoli annunci
Walzer

esprimere un desiderio; dispiacersi di qualcosa; esprimere sorpresa; convincere

quello; **quale**; gli aggettivi invariabili (**colori**); i pronomi diretti **lo, la, li, le** seguiti dal verbo **avere**; i **diminutivi**

LEZIONE 3	Hai portato tutto?	p. 32

Ascolto:

Hai portato tutto?

Intenzioni comunicative

Elementi morfosintattici

Letture:

Come si apparecchia la tavola?
San Silvestro
Una mail

chiedere e dare informazioni; raccontare; chiedere qualche cosa; offrire la propria disponibilità; rammaricarsi; convincere; esortare

la concordanza del **participio passato** con i **pronomi diretti**; gli indefiniti **qualcuno / nessuno, qualcosa / niente**; gli avverbi **già / non ... ancora**; i **numeri collettivi** (*decina, dozzina, ...*); l'**uso transitivo** e **intransitivo** dei verbi **cominciare, iniziare** e **finire**

LEZIONE 4   Vorrei alcune informazioni   p. 44

Ascolto:

Vorrei alcune informazioni

Letture:

Viaggiare in autostrada
In Africa con Moravia e Pasolini

Intenzioni comunicative

esprimere un desiderio o un'intenzione, chiedere e fornire informazioni; consigliare

Elementi morfosintattici

i pronomi relativi **che** e **cui**; gli indefiniti **qualche, alcuni, alcune**; il verbo **volerci**; alcuni **verbi impersonali** (*occorrere, bastare, bisognare*); alcune **locuzioni** avverbiali **di tempo** (*di mattina, di sera*); l'uso del **passato prossimo** e **imperfetto**

LEZIONE 5   Che studi ha fatto?   p. 56

Ascolto:

Che studi ha fatto?

Letture:

Ricerche di collaboratori
Curriculum vitae
Domanda di lavoro
Va bene, grazie Commendatore

Intenzioni comunicative

chiedere e dare un permesso; chiedere e fornire informazioni; riferire

Elementi morfosintattici

il **passato prossimo** dei verbi **modali**; il verbo **sapere** nel significato di *essere capace*; il **gerundio** con valore **causale**

LEZIONE 6   Hai visto che casa?   p. 68

Ascolto:

Hai visto che casa?

Letture:

Una casa da comprare
Due lettere

Intenzioni comunicative

lamentarsi; esprimere invidia; arrabbiarsi per qualcosa; constatare; esprimere un desiderio; contraddire; paragonare; chiedere e dare un consiglio

Elementi morfosintattici

la formazione e l'uso del **condizionale presente**; i suffissi **-ino/ a, -etto/ a, -one**; il pronome **ne** con alcuni verbi (in sostituzione del complemento di argomento); alcune **forme irregolari del comparativo**

LEZIONE 7 — Sentiti a casa tua! — p. 80

Ascolto:

Sentiti a casa tua!

Letture:

Un biglietto
Vivere in un mondo di ciechi

Intenzioni comunicative

scusarsi; esprimere sorpresa, preoccupazione, dispiacere; rassicurare; dare istruzioni; rammaricarsi; autorizzare

Elementi morfosintattici

imperativo confidenziale (*tu, voi*) nelle forme affermativa e negativa; la posizione dei **pronomi** in combinazione con l'**imperativo**; le **congiunzioni** *tanto, perché, altrimenti, comunque*

LEZIONE 8 — Ci pensi Lei! — p. 92

Ascolto:

Ci pensi Lei!

Lettura:

Due lettere commerciali

Intenzioni comunicative

dare disposizioni; chiedere che qualcosa sia fatto secondo le disposizioni date; rassicurare; far notare qualcosa; delegare; esprimere un dubbio; disdire; confermare

Elementi morfosintattici

l'**imperativo formale** (*Lei*); verbi che reggono il caso diretto e verbi che reggono il caso indiretto; il verbo **servire**; l'uso di *ormai* e *a questo punto*; il **discorso diretto** e **indiretto** (frasi interrogative e imperativo)

ESERCIZIARIO E GRAMMATICA PER LEZIONI — p. 104

TAVOLE GRAMMATICALI — p. 196

GLOSSARIO DELLE LEZIONI — p. 203

ELENCO PAROLE IN ORDINE ALFABETICO — p. 221

SOLUZIONI DELL'ESERCIZIARIO — p. 228

Introduzione

Linea Diretta nuovo 1b costituisce la seconda parte di un corso d'italiano per principianti o discenti con conoscenze elementari, costituito da tre volumi (*Linea Diretta nuovo 1a, 1b* e *Linea Diretta 2*). Questa nuova versione rispecchia l'originaria metodologia di *Linea Diretta*, ma nel contempo tiene conto delle esperienze raccolte in classe negli ultimi anni e dei molteplici stimoli e suggerimenti di insegnanti e studenti che accogliamo con gratitudine. Le novità più evidenti sono la suddivisione del primo volume in due parti, l'eserciziario integrato nel manuale, il CD inserito nella copertina, lezioni nuove o rielaborate con una supplementare pagina introduttiva, numerosi nuovi esercizi ed una grammatica ottimizzata. Sono stati poi attualizzati foto, materiale autentico e testi.

Linea Diretta nuovo si rivolge a chi voglia imparare l'italiano per essere in grado di comprendere e usare con Italiani espressioni di tipo quotidiano.

Come dice il titolo stesso, scopo di **Linea Diretta** è quello di porre gli studenti a contatto diretto con la lingua autentica, quella effettivamente usata in Italia. Ogni lezione inizia con una pagina che ha lo scopo di introdurre il tema. A questa segue un brano d'ascolto, ossia un dialogo di una certa ampiezza tra due o tre speaker di lingua madre che, usando la loro normale fluenza, hanno riprodotto una situazione quotidiana, poi incisa su CD. Il primo contatto con il ritmo e la prosodia che caratterizzano la lingua italiana farà vincere all'allievo la paura, consentendogli di familiarizzare pian piano con il modello di ritmo proposto e con la velocità d'eloquio tipica degli Italiani. Il lessico delle domande relative ai questionari degli ascolti, spesso introdotto da disegni o foto, facilita l'ascolto stesso e permette allo studente di concentrarsi su determinati dettagli. Egli sa fin dall'inizio di non dover comprendere tutto e pertanto, rilassato e senza timori, potrà far sì che la lingua "agisca" su di lui. Questo dialogo iniziale viene poi riproposto passo a passo in piccole "porzioni", sotto forma di minidialoghi. Ai dialoghi seguono in genere esercizi interattivi finalizzati al consolidamento delle strutture apprese e all'ampliamento del vocabolario. In ogni lezione sono inoltre presenti brani che trattano aspetti di costume e cultura ed attività di produzione orale e scritta in cui vengono liberamente esercitate le conoscenze acquisite. Mentre le pagine del manuale sono ideate per l'uso in classe, quelle dell'eserciziario sono destinate a un lavoro a casa: la loro tipologia ne permette un'elaborazione individuale, inoltre chiare spiegazioni grammaticali e tavole riassuntive porteranno il discente a una più profonda comprensione della lingua italiana.

In appendice al volume si trovano la grammatica sistematica, il glossario delle lezioni, in cui vengono riportati i vocaboli in ordine di apparizione, un elenco delle parole in ordine alfabetico e le soluzioni dell'eserciziario.

Il CD integrato offre all'allievo la possibilità di riascoltare autonomamente, anche al di là della lezione, i vari brani d'ascolto.

Linea Diretta nuovo costituisce dunque un riuscito equilibrio fra approccio metodico e soluzioni ludiche.

Il secondo volume conduce, dopo due-tre semestri, al livello di competenza A2 stabilito nel *Quadro comune europeo di riferimento per le lingue* del Consiglio d'Europa.

Ci vediamo domani

(1)

a. Siete in Italia e avete voglia di andare a teatro. Quale tipo di spettacolo scegliete?

b. Cercate adesso un compagno con i vostri stessi gusti.

Alberto telefona a Lucia per invitarla ad andare a vedere la commedia musicale
«Rugantino».

a. Perché Lucia non può uscire con Alberto?

_____

b. Che cosa consiglia Lucia ad Alberto?

_____

c. Dov'è Marcella quando Alberto la chiama al cellulare?

_____

d. Marcella sabato pomeriggio deve andare

a un battesimo. ☐   a un matrimonio. ☐   a una prima comunione. ☐

e. A che ora comincia lo spettacolo?

_____

f. Come ne parla la critica?

_____

CD₂ ③ ### DIALOGO

■ Senti, Lucia, io volevo invitarti domani perché ho due biglietti per andare a vedere il Rugantino al Sistina.

● Ah ...

■ Volevo andarci con Riccardo, solo che si è ammalato, purtroppo si è preso una brutta influenza ...

● Ah, mi dispiace.

■ ... quindi ho pensato a te perché so che a te piace il teatro, la commedia musicale.

● Eh sì, è vero. Però purtroppo domani non posso.

■ Eh, lo immaginavo.

● Mi dispiace, niente, ho invitato degli amici a casa mia, domani sera, a cena e quindi ...

■ Peccato!

Completate.

> Riccardo __ __ ammalato.
>
> Maria si ___ ammalata.
>
> I bambini si _____ ammalat__.
>
> Maria e Sandra ___ _____ ammalat__.

④ ### ESERCIZIO

Fate delle frasi secondo il modello.

> io – andare a teatro con Riccardo – lui ammalarsi
> *Volevo* andare a teatro con Riccardo, solo che *si è ammalato*.

a. io – partire presto – Lucia svegliarsi tardi

b. noi – frequentare un corso – noi iscriverci tardi

c. Franca e Paolo – andare al mare – il bambino sentirsi male

d. io – uscire con te ieri sera – addormentarmi e svegliarmi stamattina

e. Ornella – giocare a tennis con Paolo – lui farsi male a un piede

f. le mie amiche – restare un mese al mare – loro trovarsi male

g. io – fare la sauna – io prendermi un raffreddore

ESERCIZIO

Fate dei dialoghi secondo il modello.

> ☐ Senti, io volevo invitarti *domani* perché ho due biglietti per andare a vedere *il Rugantino al Sistina*. Ho pensato a te perché so che a te piace *la commedia musicale* ...
>
> ○ Sì, però purtroppo *domani* non posso, perché *ho invitato degli amici a casa mia*.
>
> ☐ Peccato!

a. martedì sera – Il lago dei cigni – le Terme di Caracalla – il balletto / avere ospiti a cena
b. dopodomani – La Traviata – La Scala – l'opera / avere una cena di lavoro
c. domenica – la partita – lo stadio Olimpico – il calcio / avere un appuntamento
d. sabato – i Solisti Veneti – l'Auditorio di Santa Cecilia – la musica classica / dovere studiare
e. stasera – La vedova allegra – il Teatro tenda – l'operetta / dovere lavorare
f. giovedì prossimo – L'avaro – il Teatro Argentina – il teatro / avere un impegno

(6)

E ADESSO TOCCA A VOI!

A Lei ha comprato due biglietti per «Il barbiere di Siviglia», ma la persona che doveva venire con Lei oggi non può più. Lo spettacolo è stasera. Lei telefona a un amico / un'amica per invitarlo / invitarla.

B Lei oggi non si sente tanto bene, forse perché da qualche tempo esce spesso la sera e torna a casa tardi. Stasera ha deciso di restare a casa, anche perché ha letto che c'è un bel giallo alla televisione. Riceve la telefonata di un amico / un' amica che non sente da molto tempo.

LETTURA

Leggete il testo e poi rispondete alle domande.

Una commedia musicale di successo

"Rugantino", una delle più riuscite commedie di Pietro Garinei e Sandro Giovannini, musicata magistralmente da Armando Trovajoli, debutta al teatro Sistina di Roma il 15 settembre del 1962. L'accoglienza del pubblico e della critica è entusiastica: al calare del sipario, dopo dieci secondi di silenzio, esplode un lunghissimo applauso; gli spettatori, in piedi, battono le mani con gli occhi lucidi. Un successo simile non si vedeva da anni, ed è un successo che non si limita all'Italia: un anno dopo Rugantino va in scena in Canada e poi a New York. Dovunque le platee si entusiasmano. Ma di cosa parla "Rugantino"? La vicenda si svolge a Roma nel 1830. Il protagonista è un ragazzo, Rugantino appunto, amante della vita e delle donne e allergico al lavoro, che vive giorno per giorno di espedienti e che, per farsi grande agli occhi degli amici, finisce sul patibolo, dove affronta la morte con grande dignità.
Altri personaggi della commedia musicale sono Rosetta, l'innamorata di Rugantino, Gnecco, suo marito, Mastro Titta, un anziano oste che cerca moglie e che è anche il boia di Roma, ed infine Eusebia, complice di Rugantino ed eternamente in cerca di marito.
La commedia, in dialetto romanesco, vive dei brillanti dialoghi e delle belle canzoni conosciute in tutta Italia. Di queste la più famosa è "Roma nun fa' la stupida stasera", uno dei motivi più eseguiti nei ristoranti di Trastevere, il quartiere più romano della Capitale.

a. Come ha accolto il pubblico la prima rappresentazione di Rugantino?
b. Chi è Rugantino?
c. Come muore Rugantino?
d. Per quale ragione la commedia musicale ha avuto tanto successo?

Completate.

«Rugantino», una _____ ____ riuscite commedie musicali italiane.

____ canzone ____ famosa è «Roma nun fa' la stupida stasera».

Trastevere è ____ quartiere _____ romano _____ Capitale.

ESERCIZIO

Fate delle frasi secondo uno dei modelli.

> il prosecco – vino italiano – esportato nel mondo
>
> Il prosecco è il vino italiano più esportato nel mondo.
> Il prosecco è uno dei vini italiani più esportati nel mondo.

a. «La Traviata» – opera – famosa di Giuseppe Verdi
b. «Gli indifferenti» – romanzo – conosciuto di Moravia
c. il Colosseo – il monumento – visitato a Roma
d. il balcone di Giulietta – posto – fotografato a Verona
e. «Volare» – canzone – amata dagli italiani
f. «La dolce vita» – film – famoso di Fellini

E adesso continuate voi con ...
Pavarotti – la torre di Pisa – gli spaghetti – Giorgio Armani – Venezia – la Sicilia

3 **DETTATO**

■ È successo _____ : io ho comprato _____ _____

per _____ con Riccardo, Riccardo ____ ____

_____ , e niente _____ _____ Lucia e Lucia

mi _____ _____ di chiamare te, _____ a te piace

___ _____ , mi ricordo.

▲ _____ , _____ ... poi Rugantino ...

■ Ma hai voglia, hai tempo?

▲ Eh, dunque, voglia sì, però ____ _____ _____ ,

_____ _____ pomeriggio ho un battesimo.

■ Accidenti!

▲ Eh sì, è ___ _____ ____ _____ cugina.

■ _____ _____ per forza?

▲ Eh, sì, è _____ _____ _____ _____ cugina, ti prego,

le ho promesso di _____ , gli ho comprato già il regalo ...

13

10 **ESERCIZIO**

Unite gli elementi della prima colonna a quelli della seconda e poi fate dei dialoghi, badando all'intonazione.

> ☐ A te piace il teatro, mi ricordo.
> ○ Certo, certo ... poi Rugantino

A te piace/piacciono ...

il teatro
l'opera lirica
il cinema degli anni '60
i dolci
la musica barocca
le verdure
i vini piemontesi
fare sport
ballare

Certo, certo ... poi ...

Vivaldi
sciare
Fellini
Rugantino
La Traviata
la cassata siciliana
il barolo
i carciofi
il tango

Completate.

Ho promesso **a mia cugina** di andarci.	_____ ho promesso di andarci.
Ho comprato il regalo **al bambino**.	_____ ho comprato il regalo.
Ho fatto un regalo **ai miei amici / alle mie amiche**.	**Gli** ho fatto un regalo.
	Ho fatto **loro** un regalo.

 11 **ESERCIZIO**

Completate le frasi.

a. Ho parlato con Mario e _____ ho detto di aspettarmi davanti al cinema.

b. Ho incontrato Marisa e _____ ho promesso di chiamarla domani.

c. Riccardo _____ ha detto che non può venire a teatro con me.

d. Non ho trovato Giulia, ma _____ ho lasciato un messaggio sulla segreteria telefonica.

e. Ho scritto ai signori Rossi e _____ ho mandato l'invito.

f. In vacanza abbiamo pensato a te e _____ abbiamo portato un souvenir.

g. Ho saputo che Anna e Giulio si sposano e ho scritto _____ un biglietto di auguri.

Cara signora Mocchetti,

La ringrazio tanto insieme a mia figlia Beatrice dei begli orecchini che ha voluto regalare a mia nipote Alessia e Le mando una foto scattata in occasione del suo battesimo, avvenuto due settimane fa.

Come vede, quel giorno ero molto emozionata anche perché, in quest'occasione, è tornata in Italia mia figlia Rosanna (accanto a me nella foto) che, come Lei sa, vive negli Stati Uniti e che non vedevo da più di due anni. Dietro a Beatrice ci sono i suoi suoceri, i signori Achilli, e accanto a lei, con in braccio la piccola Alessia, mia nuora Daniela e mio figlio Mario che hanno fatto da madrina e da padrino alla nipotina. Dietro a don Alfio c'è mio genero David, marito di Rosanna. Accanto a lui Silvana, figlia di Mario; poi con in braccio Miriam (l'altra figlia di Beatrice), Elisabeth, figlia di Rosanna. Dietro di lei Silvia, la cognata di Beatrice, con in braccio Angela, l'altra figlia di Mario. Andrea, il marito di Beatrice, purtroppo non si vede perché ha fatto la fotografia.

Adesso, cara signora, spero di rivederLa presto perché vorrei farLe conoscere la piccola Alessia che, Le assicuro, è veramente un amore.

Un caro saluto a Lei e alla Sua famiglia e ancora grazie per il bel regalo.

Giovanna De Vita

(13) ## ESERCIZIO

Chi sono queste persone?

(14) ## ESERCIZIO

Ringraziate per i seguenti regali secondo il modello.

> fiori: *Grazie per i bei fiori.*

fiori   fotografie   cartolina   stereo   accendino

pianta   orecchini   libri

      scialle   disco   orologio   stilografica

(15) ## E ADESSO TOCCA A VOI!

Portate in classe una fotografia della vostra famiglia, presentate le persone
ai compagni di classe e raccontate in che occasione è stata fatta la fotografia.

DIALOGO

a. Provate a completare il dialogo. Confrontate poi con un compagno quanto avete scritto.

■ Allora, ci vediamo direttamente al Sistina?

▲ _____

■ Un quarto d'ora prima. Lo spettacolo comincia alle nove, quindi alle nove meno un quarto.

▲ _____

_____

■ No, niente, lascia stare, ti invito io. Anzi mi fai un favore, così non ci vado da solo.

▲ _____

■ Figurati! Oh, son proprio contento!

b. Adesso ascoltate il dialogo e completatelo.

■ Allora, ci vediamo direttamente al Sistina?

▲ _____

■ Un quarto d'ora prima. Lo spettacolo comincia alle nove, quindi alle nove meno un quarto.

▲ _____

_____

■ No, niente, lascia stare, ti invito io. Anzi mi fai un favore, così non ci vado da solo.

▲ _____

■ Figurati! Oh, son proprio contento!

⑰

ESERCIZIO

Fate dei dialoghi secondo il modello.

> al Sistina – spettacolo 21.00 – un quarto d'ora
>
> ☐ Ci vediamo direttamente *al Sistina?*
> ○ Quando?
> ☐ *Un quarto d'ora* prima. *Lo spettacolo* comincia *alle nove,* quindi *alle nove meno un quarto.*

a. all'auditorium – tre quarti d'ora – concerto 21.00
b. all'università – dieci minuti – conferenza 18.00
c. davanti al cinema – dieci minuti – film 16.30
d. davanti allo stadio – un'ora e mezza – partita 15.00
e. al botteghino – un quarto d'ora – spettacolo 20.00
f. all'angolo con via Rosmini – mezz'ora – comizio 17.30

---

(18)   **ESERCIZIO**

Fate dei dialoghi secondo il modello.

> biglietto – non andarci da solo
>
> ☐   Senti, per *il biglietto* quanto ti devo?
> ○   No, niente, lascia stare, anzi mi fai un favore, così *non ci vado da solo*.

a. tavolino – a casa avere più spazio

b. lezioni di latino – rinfrescarlo

c. traduzione – avere qualcosa da fare

d. telefonino – finalmente comprarne uno nuovo

e. moto – non pagare più la tassa di proprietà

f. appartamento al mare – almeno esserci qualcuno

---

(19)   **ESERCIZIO**

Nei dialoghi appaiono le seguenti espressioni.
Come direste nella vostra lingua? Scrivetelo qui sotto.

○ Volevo...   _____

○ Peccato!   _____

○ Accidenti!   _____

○ Figurati!   _____

---

(20)   **ESERCIZIO**

Inserite adesso queste espressioni nei dialoghi.

a. ■ Senta, Le _____ chiedere una cortesia.
     ● Mi dica.

b. ■ Sei un vero amico. Ti ringrazio tanto.
     ● _____

c. ■ Mi dispiace, stasera non posso venire, vado a cena con Marcella.
     ● _____

d. ■ Mi dispiace, l'autobus per Frascati è già partito. Il prossimo è domani.
     ● _____ E ora come faccio?

e. ■ Perché non chiedi a Carla di aiutarti?
     ● Beh, _____ telefonarle, ma poi ho sentito che è in vacanza.

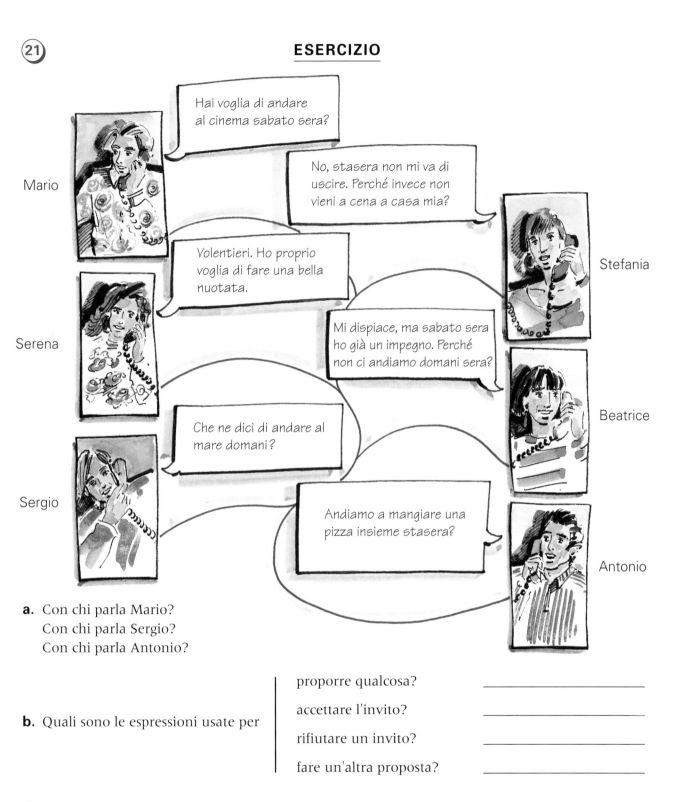

(21) ESERCIZIO

Mario: Hai voglia di andare al cinema sabato sera?

Serena: No, stasera non mi va di uscire. Perché invece non vieni a cena a casa mia?

Volentieri. Ho proprio voglia di fare una bella nuotata.

Stefania

Mi dispiace, ma sabato sera ho già un impegno. Perché non ci andiamo domani sera?

Beatrice

Che ne dici di andare al mare domani?

Sergio

Andiamo a mangiare una pizza insieme stasera?

Antonio

a. Con chi parla Mario?
Con chi parla Sergio?
Con chi parla Antonio?

b. Quali sono le espressioni usate per

proporre qualcosa?	_____
accettare l'invito?	_____
rifiutare un invito?	_____
fare un'altra proposta?	_____

(22) E ADESSO TOCCA A VOI!

Invitate un compagno di corso al cinema, al ristorante, a teatro, a un concerto ...

Che taglia porta?

pullover di pura lana vergine

maglietta di cotone

guanti di cachemire

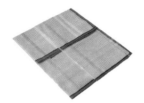

fazzoletti di puro cotone

scarpe di pelle e di camoscio

cappello da donna

Indicate con una crocetta i vostri gusti o le vostre abitudini.
Scoprite poi con un compagno quanto avete in comune.

Le scarpe per me devono essere	alla moda.	☐	comode.	☐
Il cappello è un accessorio	che uso.	☐	che non uso.	☐
Di solito compro i pullover	di pura lana.	☐	anche in fibra sintetica.	☐
Mi piacciono le sciarpe	classiche.	☐	a colori vivaci.	☐
Per me è importante	seguire la moda.	☐	avere dei capi classici.	☐
I jeans	li porto spesso.	☐	li metto raramente.	☐
Le scarpe da ginnastica le metto	solo per fare sport.	☐	anche nel tempo libero.	☐
Normalmente uso	fazzoletti di carta.	☐	fazzoletti di stoffa.	☐

Un signore va in un negozio di abbigliamento per comprare un paio di pantaloni.

a. Che taglia ha il cliente? _____

b. Il colore che il cliente preferisce è

il blu. ☐   il verde. ☐

il grigio. ☐   il nero. ☐

il marrone. ☐   il beige. ☐

c. Ma questo colore non c'è, allora sceglie il _____

d. Dove sono i camerini? _____

e. I pantaloni che prova sono

lunghi. ☐   larghi. ☐   stretti. ☐   corti. ☐

f. Quanto costano i pantaloni? _____

g. Che cosa compra ancora il cliente?

un pullover ☐   una cravatta ☐   una cintura ☐   una camicia ☐   una sciarpa ☐

h. Che cosa consiglia la commessa al cliente?

Di lavare a secco i pantaloni. ☐

Di conservare lo scontrino. ☐

Di telefonare per sapere quando i pantaloni sono pronti. ☐

CD₆ ③

DIALOGO

● Buongiorno.

■ Buongiorno. Senta, vorrei vedere quei pantaloni grigi in vetrina.

● Quelli grigi. Che taglia porta?

■ La 48.

● Sì, aspetti un momento. No, mi dispiace, la 48 in questo colore non ce l'ho.

■ Non ce l'ha. E che colore c'è di quel modello?

● Mah, nero, blu, verde ...

Completate.

i pantaloni		_____ pantaloni grigi.
gli shorts		**quegli** shorts blu.
le magliette		_____ magliette a righe.
	→ Ho visto ...	
il pullover		**quel** pullover rosso.
lo scialle		_____ scialle nero.
l'impermeabile		**quell'** impermeabile beige.
la gonna		_____ gonna verde.

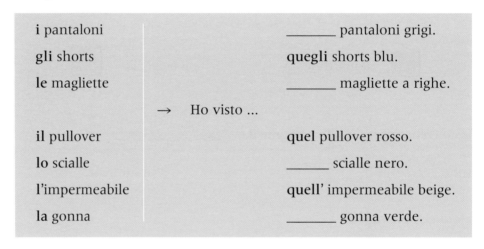

beige   blu   marrone   rosa   a quadri   a righe

giallo   grigio   verde   bianco   celeste   rosso   nero

④ ## ESERCIZIO

Completate i dialoghi.

■ Vorrei _____ _____ mocassini là.

● _____ numero ha?

■ Il 41.

▼ _____ maglietta c'è anche ___ celeste?

▲ Sì, _____ misura ha?

▼ La terza.

ESERCIZIO

Fate dei dialoghi secondo il modello. Decidete voi i colori e la taglia o il numero.

> ☐ Senta, vorrei vedere *quei pantaloni grigi* in vetrina.
> ○ *Quelli grigi.* Che taglia porta?
> ☐ *La 48.*

a. giacca **b.** impermeabile **c.** cappotto **d.** scarpe **e.** camicia
f. gonna **g.** shorts **h.** stivali **i.** sandali **j.** costume da bagno

Completate.

> La 48 in questo colore non _____ __ ho.
>
> Questo modello in beige non ce l'ho.
>
> Questi pantaloni in blu non ce li ho.
>
> Queste scarpe in marrone scuro non _____ ____ ho.

⑥ **ESERCIZIO**

Guardate la vetrina, scegliete qualcosa e poi fate dei dialoghi secondo il modello.

> ☐ Quei pantaloni gialli ci sono anche in verde?
> ○ No, mi dispiace, in verde non ce li ho.

DIALOGO

- ● Come vanno i pantaloni?
- ■ Sì, vanno bene, la 48 è la mia taglia, sono un po' lunghi però.
- ● Sì, ma per questo non c'è problema, li possiamo accorciare noi.
- ■ Va bene, d'accordo. Sì, senta, dimenticavo ... quanto vengono?
- ● Questi vengono 145 euro.
- ■ Ah!
- ● Però guardi, la qualità è veramente ottima.
- ■ Sì, la qualità è ottima, ma il prezzo è alto.
- ● E sì, d'altra parte ...

(8)

ESERCIZIO

Corto, largo, lungo, o stretto? Completate le frasi con l'aggettivo adeguato.

a. I pantaloni sono_____. Si possono accorciare?

b. Questa gonna è un pochino _____. Si può allargare
di un centimetro?

c. Se le maniche Le sembrano un po' _____, le possiamo
allungare un pochino.

d. Sì, è vero, la giacca è un po' _____ , ma dietro si può
stringere di uno o due centimetri.

(9)

ESERCIZIO

Ripetete il dialogo secondo il modello. Cambiate il capo di abbigliamento,
il difetto e la modifica.

---

pantaloni – lunghi – accorciare

- ☐ Come vanno *i pantaloni*?
- ○ Sì, vanno bene, la 48 è la mia taglia,
  sono un po' *lunghi* però.
- ☐ Sì, ma per questo non c'è problema,
  li possiamo *accorciare* noi.

ESERCIZIO

Fate dei dialoghi secondo il modello.

> pantaloni – 145 euro – qualità veramente ottima
>
> ☐ Quanto *vengono i pantaloni?*
> ○ *Questi vengono 145 euro.*
> ☐ Ah!
> ○ Però guardi, la *qualità è veramente ottima* ...
> ☐ Sì, *la qualità è ottima,* ma il prezzo è alto.
> ○ Eh sì, d'altra parte ...

a. gonna – 200 euro – di Armani
b. camicia – 120 euro – di puro lino
c. pullover – 350 euro – di cachemire
d. foulard – 150 euro – di pura seta
e. scarpe – 320 euro – di Ferragamo
f. cappotto – 920 euro – di cammello
g. impermeabile – 700 euro – un Burberry

(11) # E ADESSO TOCCA A VOI!

A Lei ha visto nella vetrina di un negozio di abbigliamento qualcosa che Le piace molto. Entra nel negozio e chiede di provare il capo. Non Le va bene e chiede se c'è un'altra taglia o se si può modificare. Poi si informa sul prezzo.

B Lei lavora in un negozio di abbigliamento di un famoso stilista italiano. Un/una cliente vuole provare qualcosa. Lei si informa sulla sua taglia, lo/la consiglia e risponde alle sue domande.

ESERCIZIO

32 ABBIGLIAMENTO

1 BELLA giacca di lana a grandi quadri, taglia 52, pagata 110 euro, vendo a 65 euro, vero affare.
Ore pasti ☎ 0461-23 85 79

2 GIACCA uomo taglia 48 pura lana, usata pochissimo, color grigio / verde salvia, vendo a 60 euro.
Ore pasti ☎ 0461-86 61 55

3 VENDO due paia di stivali n. 41, uno in pelle, uno in camoscio a 35 euro cadauno. **☎ 0461-33 46 81**

4 ABITO da sposa bellissimo nuovo indossato per tre ore tg. 44, pagato 1200 euro a 380 euro tratt. vendo.
Ore serali ☎ 0471-97 46 81

5 GIUBBOTTO impermeabile foderato in pelo sintetico, colore marrone chiaro, taglia 52, vendo a 40 euro. Ottimo stato. **☎ 0461-91 24 61**

6 SCARPE in vitello da donna a tacco alto, nuove, mai usate, eleganti a sole 40 euro, vendo. **☎ 0461-60 51 08**

7 BORSETTA tracolla vera pelle, colore cuoio, seminuova, vendo a 65 euro.
Ore pasti ☎ 0461-93 27 91

8 GIACCA a vento colore azzurro taglia 52 / 54 nuova vendo a 100 euro.
☎ 0471-89 23 24

9 TUTA sci uomo tg. 52, ottimo prezzo, vendo. **Ore pasti ☎ 0471-92 01 10**

a. Abbinate gli annunci ai disegni.

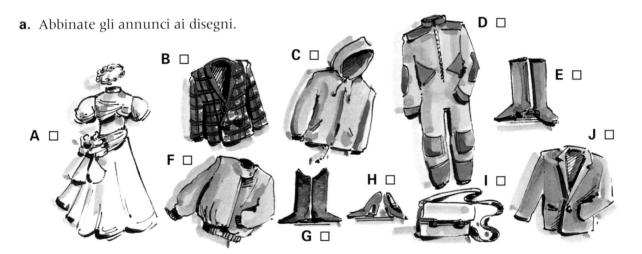

b. Completate adesso il seguente schema.

annuncio	articolo	colore	tessuto materiale	taglia numero	prezzo
N°	1				
N°	2				
N°	3				
N°	4				
N°	5				
N°	6				
N°	7				
N°	8				
N°	9				

(13)   **E ADESSO TOCCA A VOI!**

Avete mai comprato un capo di abbigliamento usato?
Se sì, che cosa? Dove? L'avete portato molto?
Se no, perché? Siete contrari all'usato?

8   **(14)**   **DETTATO**

■ Senta _____ _____ _____. Vorrei _____ _____ ____ _____.

● Sì.

■ Però _____ ____ per me, _____ _____ _____ _____ che è un pochino più robusto di me.

● Sì quindi _____ _____ un po' più grande. Col collo a V oppure a girocollo?

_____ ____ _____?

■ Con il collo a V.

● E in che colore ____ _____ ?

■ Mah, c'è un antracite? C'è un grigio?

● Sì, ____ il grigio scuro, ____ _____ un grigio chiaro, ____ _____ _____ _____ ...

■ No, no, il grigio ____ _____. C'è la 52 di _____ grigio scuro?

● Eh, no, _____ _____. La 52 _____ _____.

■ La 52 in che _____ c'è?

● C'è un bordò, un _____ e ____ _____.

■ Quel bordò, quel bordò ____ _____ _____ tinta. E _____ _____?

● _____ _____ 135 euro.

■ _____ _____, _____ sia i pantaloni che il pullover.

_____, se ci sono _____ per la taglia ... Si _____ cambiare?

● Sì, _____.

ESERCIZIO

Con i seguenti elementi fate dei dialoghi secondo il modello.

> ☐ *Il pullover* come *lo* preferisce? *Col collo a V o a giro collo?*
> ○ *Con il collo a V.*

a. la maglietta   con le maniche corte / lunghe
b. i guanti   di pelle / di lana
c. la cintura   di pelle / elasticizzata
d. il cardigan   con le tasche / senza tasche
e. il pigiama   a righe / in tinta unita
f. la borsa   elegante / sportiva
g. i calzini   di cotone / di lana

(16) E ADESSO TOCCA A VOI!

A Lei vuole regalare a qualcuno uno dei seguenti capi di abbigliamento. Dica come lo preferisce e si informi sul prezzo.

B Lei sta servendo un cliente che vorrebbe comprare un capo di abbigliamento di ottima qualità. Giustifichi il prezzo e cerchi di convincerlo.

puro lino – 90 euro

di marca – 200 euro

puro cotone – 55 euro

cachemire – 85 euro

pura seta – 50 euro

ESERCIZIO

Guardate la storia illustrata qui sotto e, con l'aiuto dell'insegnante, provate a raccontarla.

Lorenzo Cherubini (Roma, 1966), in arte Jovanotti, oltre ad essere un famoso cantante, è anche autore di un libro intitolato «Il Grande Boh!» che è insieme un racconto di avventure e un diario di viaggi. Nel seguente brano ci racconta che cosa gli è capitato a Linz.

walzer

1 *Sono arrivato a Linz un venerdì pomeriggio di fine autunno per fare un concerto il giorno dopo in un locale di questa città non famosissima dell'Austria. Ho mollato i bagagli in albergo ed era già l'ora di mangiare e sono entrato in un McDonald's proprio davanti all'hotel dalle camere stile film porno. (...)*

5 *Ho ordinato qualcosa e un mitico gelato di Mac che è identico e fintissimo e buonissimo in tutto il mondo e mi sono messo a guardare l'umanità che entrava, stazionava, usciva dal locale. (...) Ho cominciato a notare un discreto numero di ragazzini adolescenti, insomma, teenagers che si aggiravano vestiti a festa, gessati smoking giaccacravatta papillon scarpe lucide, ragazzine con vestitini neri spalle*

10 *nude brufoli con eleganti abitini da sera niente male, acconciature pensate e specchiate e rispecchiate, pancine sporgenti sotto attillate stoffe nere o bianche, comunque qualcosa di molto elegante e anche di molto insolito dentro un posto come quello. (...)*

Ho avvicinato l'unico gruppetto di ragazzi vestiti da ragazzi del villaggio globale,

15 *insomma vestiti come il pubblico di un programma di Mtv, scarpe da ginnastica e compagnia bella, e ho domandato in inglese come mai erano tutti così eleganti e uno in un inglese addirittura molto peggiore del mio mi ha risposto con una parola, «uolzer», che è la pronuncia inglese di walzer.*

Il venerdì sera i ragazzi si mettono giù meglio che possono in senso classico e se ne

20 *vanno a ballare il walzer in grandi locali dove orchestre suonano il walzer viennese, quello originale, e si può entrare solo vestiti da sera.*

Non so perché ma mi sono commosso, forse voi potete spiegarmi il perché, comunque io mi sono commosso, il cuore pieno di gioia per questa cosa che stavo vedendo, per questo venerdì a ballare il walzer.

ESERCIZIO

Sono riportati di seguito e con l'indicazione della riga alcuni vocaboli presenti nel testo (quelli contrassegnati da * sono propri della lingua parlata). Provate a unire ogni vocabolo con un suo sinonimo.

(r. 2)	mollare*	carini, belli
(r. 5)	fintissimo	andavano in giro
(r. 6)	mi sono messo	eccetera
(r. 8)	si aggiravano	strette
(r. 10)	niente male*	si vestono
(r. 11)	attillate	ho cominciato
(r. 16)	e compagnia bella*	non naturale
(r. 19)	si mettono giù*	lasciare

20 **ESERCIZIO**

Alla riga 8 Jovanotti usa il diminutivo *ragazzini* per definire dei ragazzi molto giovani. Cercate nel testo come definisce anche:

(r. 9) ragazze molto giovani   _____

(r. 9) vestiti carini e leggeri   _____

(r. 10) abiti da sera per giovani   _____

(r. 11) pance che si vedono appena   _____

(r. 14) un gruppo di poche persone   _____

21 **ESERCIZIO**

Jovanotti usa la punteggiatura molto liberamente. Dove fareste qualche modifica?

 E ADESSO TOCCA A VOI!

a. Ricordate un'occasione in cui vi siete vestiti in modo particolare? Perché?
Vi sentivate a vostro agio? Parlatene con un compagno.

b. In Austria il walzer è una tradizione ancora viva, coltivata anche dai giovani.
Quali tradizioni del vostro Paese vi sembra giusto coltivare o recuperare?

Hai portato tutto?

① **PER INIZIARE**

Segnate le frasi che corrispondono alla vostra opinione o al vostro comportamento.
Confrontate poi con un compagno.

Carnevale ...

è un'occasione per divertirmi. ☐
è una festa che non sento per niente. ☐
è una festa che mi dà ai nervi. ☐

altro: _____

Natale ...

è la festa più bella dell'anno. ☐
è solo causa di stress. ☐
è un'occasione per rivedere i familiari. ☐

altro: _____

A Pasqua ...

vado a messa. ☐
faccio un viaggio. ☐
festeggio con la mia famiglia. ☐

altro: _____

A San Silvestro ...

mi piace far baldoria con gli amici. ☐
faccio dei propositi che non mantengo. ☐
vorrei divertirmi e invece mi annoio sempre. ☐

altro: _____

ASCOLTO

Per l'ultimo dell'anno 98arzia e Claudio stanno preparando
una festa nella casa di campagna di Marzia.

a. Quali sono le tre cose che Claudio non ha
dimenticato?

_____ _____ _____

b. Quali di questi piatti sta preparando la
padrona di casa e quale di questi porta
Daniela?

tacchino _____

minestrone _____

zampone _____

cotechino
con le lenticchie _____

peperoni
ripieni _____

capitone _____

cappone _____

c. Cosa si beve con il piatto che ha preparato
la padrona di casa?

_____

e. Come si chiama il gioco che Claudio ha
dimenticato?

_____

d. Gli ospiti questa sera sono

   circa 10 □   circa 15 □

   circa 12 □   circa 20 □

f. Che cosa deve comprare Claudio in paese?

_____

  (3) ## DIALOGO

■ È già arrivato qualcuno?

● No, non è ancora arrivato nessuno. Tu sei il primo.

■ Ah, bene. Senti, mi dai una mano a scaricare la macchina?

● Volentieri. Poi mi aiuti ad apparecchiare la tavola però?

■ Certo, va bene.

Completate.

> È _____ arrivato _____?
>
> No, _____ è _____ arrivato _____.

(4) ## ESERCIZIO

Continuate adesso sostituendo *arrivare* con uno dei seguenti verbi.

> arrivare
> □ È già *arrivato* qualcuno?
> ○ No, non è ancora *arrivato* nessuno.

a. entrare   **b.** uscire   **c.** venire   **d.** salire   **e.** scendere   **f.** partire

(5) ## ESERCIZIO

> Senti, mi dai una mano a …?
> Senti, mi aiuti a …?

Cosa chiedete a un amico se avete questi problemi?

a. La vostra casa è nel caos più completo.
b. La vostra bicicletta è rotta.
c. Avete dei pantaloni troppo lunghi.
d. Dovete partire per un lungo viaggio.
e. La vostra macchina è sporchissima.
f. Stasera avete quindici ospiti a cena.

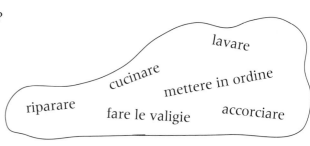

lavare
cucinare
mettere in ordine
riparare
fare le valigie
accorciare

Come si apparecchia la tavola?

> Per prima cosa si mette la tovaglia sulla tavola, poi si mettono i piatti. A sinistra di ogni piatto si mette prima la forchetta e poi il tovagliolo, a destra il coltello e, se si mangia anche la minestra, il cucchiaio. Davanti al piatto si mettono le posate da dessert, cioè il coltellino e la forchettina, ed anche i bicchieri da acqua e da vino. Naturalmente non devono neanche mancare sulla tavola una bottiglia di vino, una caraffa d'acqua, la saliera ed il portapepe.

Scrivete adesso accanto ad ogni numero il nome dell'oggetto corrispondente.

1 _____	5 _____	9 _____	13 _____
2 _____	6 _____	10 _____	14 _____
3 _____	7 _____	11 _____	
4 _____	8 _____	12 _____	

CD₁ ⑦ **DIALOGO**

- ● Hai portato tutto?
- ■ Tutto. Questa volta non ho dimenticato niente.
- ● Devo crederci?
- ■ Ma sì, naturalmente.
- ● Hai portato la chitarra?
- ■ La chitarra l'ho portata.
- ● I dischi li hai portati?
- ■ I dischi li ho portati.
- ● E le carte le hai portate?
- ■ Le carte le ho portate. Ho portato tutto.

Completate.

Hai portato la chitarra?	Sì, l'ho portata.
	La chitarra __ ___ portat__.

 ⑧ **ESERCIZIO**

Ripetete il dialogo. Domandate a un compagno se ha portato tre delle seguenti cose:

vino	fotografie	stereo
pane	biscotti	cassette
pasta	bottiglie	olio
fiori	giochi	birra
bicchieri	carne	Coca Cola
piatti	pesce	dolci
tovaglioli	spumante	grappa

DETTATO

● Il vino rosso ce l'hai?

■ Come no! Io adoro ____ _____ _____ .

● _____. _____ ___ _____ ___ _____.

■ Ah, _____. Quante bottiglie hai portato?

● Quanti _____?

■ Una quindicina.

● Ne ho portate dieci. Bastano, no?

■ Mmm speriamo.

● Ma sì, sì, sì, sì. _____, che programma _____ _____ _____ _____?

■ Eh, dunque, _____ _____ _____ _____, quando gli ospiti _____

_____, _____ _____ _____, poi c'è il cenone e poi

_____ a tombola.

● Oh Dio!

■ L' _____ dimenticata.

● Accidenti a me!

■ Hai _____ la tombola!

● L'ho _____ _____!

■ E io t'ho anche _____ _____!

Completate.

Quante bottiglie hai portato?	_____ ho portat__ 10.
Quanti bicchieri hai portato?	Ne ho portat__ 20.

(10)   **ESERCIZIO**

Fate le domande e rispondete secondo il modello.

bottiglie – 10
○ Quante *bottiglie* hai portato?
□ *Ne* ho portat*e dieci.*

a. bicchieri – 15   **c.** forchette – 30   **e.** cucchiai – 10
b. piatti – 20   **d.** coltelli – 25   **f.** tazzine – 12

Completate.

una quindicina	= circa quindici	una decina	= circa _____
una dozzina	= circa dodici	una ventina	= circa venti
_____	= circa trenta	_____	= circa sessanta
un centinaio	= circa _____	un migliaio	= circa _____

(11)   **E ADESSO TOCCA A VOI!**

Formate dei gruppi di tre o quattro persone.
Volete organizzare una festa dove ognuno porta
qualcosa.
Decidete che cosa deve portare ognuno
di voi e dove volete fare la festa.

San Silvestro

Come si trascorre la notte dell'ultimo dell'anno in Italia? Non diversamente da come si trascorre nel resto d'Europa: generalmente in casa con la famiglia e con gli amici. Nell'attesa della mezzanotte si mangia e si gioca, poi, quando mancano pochi minuti allo scadere delle 24.00, si tirano fuori le bottiglie di spumante dal frigorifero e si brinda allegramente al nuovo anno. A questo punto si esce tutti sul balcone e – c'è chi dice per ammazzare l'anno vecchio, altri invece per salutare quello nuovo – si accendono razzi e girandole, e il cielo si riempie di luci di ogni colore. A proposito di colori: da qualche anno si sta diffondendo una curiosa usanza, quella di accogliere il nuovo anno con qualcosa di rosso addosso, e questo qualcosa sono di solito le mutande. Ecco perché molto

spesso sotto l'albero di Natale, insieme ai tanti regali, c'è un pacchetto che contiene un paio di slip o dei boxer rosso fiamma. È un modo, fra parenti e amici, di augurarsi un felice anno nuovo. Una tradizione che invece è andata perduta è quella di

gettare oggetti dalla finestra allo scadere della mezzanotte. Per celebrare questa tradizione naturalmente le strade sotto casa devono essere vuote; infatti oggi nessuno vuole rovesciare piatti, bicchieri e chissà che altro sulla propria automobile o su quella del vicino. Il giorno dopo, il primo dell'anno cioè, il menù prevede alcuni piatti fissi, e fra questi regnano su ogni tavola le lenticchie che si accompagnano al cotechino o allo zampone. Perché proprio questi gustosi legumi? Perché nella fantasia popolare le lenticchie rappresentano i soldi, quindi quante più lenticchie si mangiano, tanto più ricchi si spera di diventare nel corso del nuovo anno, che spesso offre anche l'occasione per abbandonare certe cattive abitudini. "Anno nuovo, vita nuova" si dice del resto. Non sono pochi per esempio quelli che, accendendo una sigaretta prima della mezzanotte, decidono con il nuovo anno di smettere di fumare. Ma se molti sono quelli che ci provano, ben pochi sono quelli che ci riescono. Così insieme alla salute va in fumo anche la speranza di avere più soldi nel nuovo anno. Le sigarette infatti costano. E non poco.

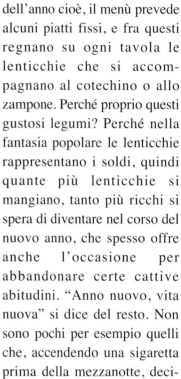

Il testo dice che a Capodanno ...	sì	no
a. alcune persone indossano un capo di biancheria rossa.	☐	☐
b. a mezzanotte si gettano vecchie cose dalla finestra.	☐	☐
c. si mangiano le lenticchie sperando di avere più soldi.	☐	☐
d. molti riescono a smettere di fumare.	☐	☐

Completate.

> Molti ___ **provano.** = Molti **provano a** smettere di fumare.
>
> Pochi ___ **riescono.** = Pochi **riescono a** smettere.

(13) ESERCIZIO

Completate le frasi con *provare* o *riuscire* ed usate anche *ci* o la preposizione *a*.

a. Molti _____ fare una dieta, pochi _____.

b. Per favore puoi aprire questa bottiglia? Io non _____.

c. Non so se noi _____ finire il lavoro prima di domani, ma _____.

d. Franco purtroppo non _____ trovare il lavoro che gli piace.

e. Non ho mai preparato la panna cotta; ma oggi _____.

f. Mario, tu fumi troppo. Perché non _____ smettere?

(14) E ADESSO TOCCA A VOI!

a. Avete mai fatto dei propositi per il nuovo anno? Siete riusciti a mantenerli?

b. Ricordate una notte di San Silvestro particolarmente divertente? Raccontatela.

CD₁₃ (15) DIALOGO

- ■ Senti, ma c'è proprio bisogno che giochiamo a tombola stasera?
- ● Ma dai! Il primo dell'anno la tombola ci vuole! Dai! Fai un salto in paese.
- ■ Ma il paese è lontano!
- ● Ma dai! Se ti sbrighi ce la facciamo. Dai! Fai in fretta.
- ■ D'accordo. Senti, allora, visto che vado in paese, ti occorre qualcosa?
- ● No, niente. Eh, aspetta, sì. Porta un paio di pacchetti di Marlboro e una scatola di cerini.

Completate.

> Il primo dell'anno la tombola ____ _____!

ESERCIZIO

Che cosa ci vuole ...

a. a Natale?

c. per un pic-nic?

e. dopo tanto lavoro?

b. per una festa di compleanno?

d. la domenica?

f. per una festa di carnevale?

Completate.

> Se ti sbrighi, _____ ____ _____.
>
> Se si sbriga, ce la fa.
>
> Se mi sbrigo, ce la _____.

ESERCIZIO

Fate dei dialoghi secondo il modello.

> ○ Il paese è lontano! (tu – sbrigarti)
> □ Dai, se ti sbrighi, ce la fai!

a. L'esame è difficile! (tu – studiare)

b. L'autobus parte fra tre minuti! (noi – correre)

c. È un esercizio troppo complicato! (tu – concentrarti)

d. Il tavolo è troppo pesante! (noi – fare ancora uno sforzo)

e. La salita è troppo ripida! (tu – cambiare marcia)

f. Basta! Sono stanco! (tu – stringere i denti)

g. I negozi chiudono fra dieci minuti! (noi – sbrigarci)

Completate.

Ti	_____ qualcosa?	No, non	mi	_____ niente.
Vi		Sì,	ci	_____ una scatola di cerini. occorrono delle sigarette.

ESERCIZIO

Fate dei dialoghi secondo il modello.

> ○ Senti, visto che vado in *tabaccheria*, ti occorre qualcosa?
> □ Sì, compra *delle cartoline*.

a. salumeria – due etti di prosciutto
b. profumeria – un dentifricio e uno spazzolino
c. cartoleria – una penna e una gomma
d. merceria – del filo nero e degli aghi

e. farmacia – una confezione di cerotti
f. macelleria – mezzo di chilo di carne macinata
g. tabaccheria – tre francobolli e un accendino

 E ADESSO TOCCA A VOI!

A Lei ha invitato degli amici per una festa di carnevale. **B** si è offerto/-a di portarLe dei dolci, del vino e dei bicchieri di carta. Lei sa però che **B** è una persona smemorata …

B Lei si è offerto/-a di aiutare **A** a preparare una festa di carnevale. **A** Le ha chiesto di portare alcune cose. Adesso Lei si accorge di averne dimenticata una …

LETTURA

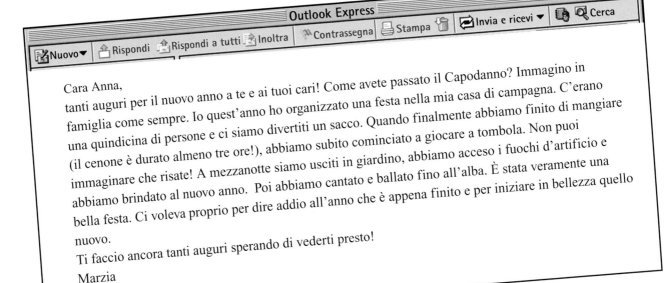

Cara Anna,
tanti auguri per il nuovo anno a te e ai tuoi cari! Come avete passato il Capodanno? Immagino in famiglia come sempre. Io quest'anno ho organizzato una festa nella mia casa di campagna. C'erano una quindicina di persone e ci siamo divertiti un sacco. Quando finalmente abbiamo finito di mangiare (il cenone è durato almeno tre ore!), abbiamo subito cominciato a giocare a tombola. Non puoi immaginare che risate! A mezzanotte siamo usciti in giardino, abbiamo acceso i fuochi d'artificio e abbiamo brindato al nuovo anno. Poi abbiamo cantato e ballato fino all'alba. È stata veramente una bella festa. Ci voleva proprio per dire addio all'anno che è appena finito e per iniziare in bellezza quello nuovo.
Ti faccio ancora tanti auguri sperando di vederti presto!
Marzia

Completate.

> Noi _____ finito di mangiare.
>
> Noi _____ cominciato a giocare a tombola.
>
> L'anno vecchio ___ finito.
>
> L'anno nuovo è iniziato.

ESERCIZIO

Secondo il modello fate delle frasi con *cominciare, iniziare* o *finire* al passato prossimo.

estate – con un caldo insopportabile →	L'estate è iniziata con un caldo insopportabile.
Maria – l'università →	Maria ha finito l'università.

     a. la festa – tardi
     b. noi – lavorare – alle sette
     c. il film – alle dieci
     d. la primavera – in bellezza
     e. la settimana – male
     f. io – fumare – a 14 anni
     g. loro – giocare a tennis – alle cinque
     h. lei – stirare – alle sei

E ADESSO TOCCA A VOI!

Dopo una festa (Natale, Capodanno, compleanno,
battesimo, matrimonio ...) scrivete a un amico e
raccontate come l'avete passata e che cosa avete fatto.

Vorrei alcune informazioni

a. Quale di queste offerte vi sembra più interessante? Perché?
Parlatene con un compagno.

IL PIACERE DI VIAGGIARE IN TRENO

La Divisione Passeggeri di TRENITALIA offre la comodità di partire
e arrivare da centro città a centro città e di fare il viaggio con la
famiglia o in compagnia, lasciando la macchina a casa.
La Divisione Trasporto Regionale programma viaggi turistici lungo
le linee secondarie dove si trovano ancora territori inconta-
minati e non facilmente raggiungibili con altri mezzi di trasporto.
Chi invece ama fare un salto nel passato può prenotare escursioni in treni composti da locomotive a vapore
e carrozze d'epoca messe a nuovo. Il sito di TRENITALIA è www.trenitalia.com e consente di ricevere
informazioni sui servizi ferroviari nonchè la prenotazione e l'acquisto di biglietti ferroviari.

GRANDI NAVI VELOCI – TRAGHETTI PER SARDEGNA, SICILIA, SPAGNA E CROCIERE NEL MEDITERRANEO

Benvenuti a bordo delle navi dei vostri sogni
Le Grandi Navi Veloci sono le uniche nel Mediterraneo
ad offrire servizi a 5 stelle tutto l'anno.
Bastano pochi dati per confermarlo: 220 metri di lunghezza massima, 30 di larghezza, 11 ponti, comodi
saloni e ristoranti per gustare le squisite portate di cucina internazionale, sale di lettura, da gioco, casinò,
piscine, palestra, boutique, discoteca, cabine e suite rifinite nei dettagli. Orari e collegamenti su www.gnv.it

GIRATE E RIGIRATE CON LE GIROVACANZE ALITALIA

Le fantastiche offerte Alitalia «volo più albergo» nelle più belle città
d'Europa e d'Italia. Le offerte Girovacanze comprendono volo diretto
e 2 notti in albergo di categoria turistica. Informatevi nelle agenzie di
viaggi, su www.alitalia.it o chiamate il numero verde 800-050350.
(L'offerta e il numero verde sono validi solo per l'Italia.)

b. Avete deciso di fare un viaggio particolare alla scoperta dell'Italia.
Come vi piacerebbe spostarvi? Perché?

A piedi ☐   A cavallo ☐   In bicicletta ☐   In motocicletta ☐   In mongolfiera ☐

② **ASCOLTO**

Una signora vuole andare a Lipari e chiede informazioni in un'agenzia di viaggi.

a. Quanto tempo dura il viaggio da Napoli a Lipari?

_____

b. Quanto costa il biglietto per due persone in cabina?

_____

c. Perché la cliente decide di non andare in macchina?

_____

d. A che ora parte da Roma l'Eurostar?

_____

e. A che ora arriva a Napoli?

_____

f. Perché la signora decide di prendere l'Eurostar?

_____

g. Quando vuole partire la cliente?

_____

h. Che informazioni chiede ancora alla fine?

_____

CD₁₅

DIALOGO

■ Eh ... buongiorno, senta, io vorrei alcune informazioni.
● Mi dica.
■ Volevo andare a Lipari, nelle isole Eolie.
● Sì, va bene.
■ E volevo sapere da Roma qual è l'imbarco più vicino.
● Da Roma è Napoli.
■ Sì, va bene. E il viaggio quanto dura, scusi?
● Dunque ... da Napoli a Lipari ci vogliono circa 12 ore.
■ 12 ore. E le partenze a che ora sono?
● Le partenze sono la sera sempre alle 21, tre volte alla settimana.
■ Quindi partendo la sera mi occorre anche la cabina.
● E beh, sì.

ESERCIZIO

Ripetete il dialogo secondo il modello.

> andare a Lipari / imbarco vicino
>
> ☐ Buongiorno, senta, io vorrei alcune informazioni.
> ○ Mi dica.
> ☐ Volevo *andare a Lipari.*
> ○ Sì, va bene.
> ☐ E volevo sapere *qual è l'imbarco* più *vicino.*

a. noleggiare una macchina / vettura economica
b. comprare un cellulare / modello conveniente
c. andare alle Maldive / isola caratteristica
d. visitare il castello / fermata vicina
e. leggere dei libri di Camilleri / romanzi interessanti
f. visitare Brescia / monumenti significativi
g. andare a San Gimignano / strada breve
h. andare a New York / tariffe economiche

Completate.

Le partenze sono ___ sera / di sera sempre alle 21.00.

46

(5) **ESERCIZIO**

Domandate e rispondete secondo il modello.

> partenze – sera – 21.00
>
> ☐ *Le partenze* a che ora sono?
> ○ *Sono* sempre *la sera / di sera, alle 21.00.*

a. spettacolo – sera – 20.00

b. visite mediche – mattina – 8.00

c. pausa – pomeriggio – 15.00 - 16.00

d. esami – mattina – 9.00 - 12.00

e. visita della città – pomeriggio – 15.00

f. iscrizioni – mattina – 10.00 - 13.00

Completate.

> Da Firenze a Pisa **ci vuole** un'ora.
>
> Da Napoli a Lipari _____ 12 ore.

(6) **ESERCIZIO**

 In treno, in aereo, in nave,
in macchina, in moto ...
Guardate la cartina, scegliete
un punto di partenza e uno
di arrivo e poi domandate e
rispondete secondo il modello.

> ☐ Quanto tempo ci
> vuole da Napoli a Roma
> in treno?
>
> ○ Ci vogliono 2 ore.

CD 16 ⑦ **DIALOGO**

■ Senta, io volevo portare la macchina ... è possibile?
So che ci sono delle isole in cui il traffico privato è vietato,
mi sembra.

● Sì, ma in questo periodo la può portare, perché non
è consentito soltanto nei mesi di luglio e di agosto, ai turisti.

■ Ho capito.

● E naturalmente a Lipari conviene portare la macchina.
Su un'isola più piccola non serve, ma a Lipari, che
è relativamente grande, direi di sì.

Completate.

> Ci sono delle isole _____ il traffico privato è vietato.
>
> A Lipari, _____ è relativamente grande, conviene portare la macchina.

⑧ **ESERCIZIO**

Unite le frasi usando *che* o *cui*.

Venezia è una città ...		... amo tantissimo.
La stazione di Bologna è quella ...		... ho cambiato treno.
Agosto è un mese ...	che	... non conviene andare in vacanza.
Questo è un ristorante ...	a cui	... è vietato fumare.
Titanic è un film ...	in cui	... ho visto almeno cinque volte.
Rita è un'amica ...	con cui	... ho fatto diversi viaggi.
Il professor Renzi è una persona ...	da cui	... ho imparato tanto.
Sergio era un compagno ...		... chiedevo sempre dei consigli.
Paolo e Lina sono persone ...		... vado volentieri per fare due chiacchiere.

9   **ESERCIZIO**

Uno di voi domanda secondo il modello, l'altro risponde a piacere.

> □ *Conviene ... ?*
> ○ *Direi di sì, perché ... / Direi di no perché ...*

a. portare la macchina sull'isola d'Elba

b. andare a Venezia per il carnevale

c. girare l'Italia in treno

d. prendere l'aereo da Roma a Milano

e. viaggiare in vagone letto

f. pranzare nel vagone ristorante

g. partire presto la mattina

h. mangiare alla mensa

i. viaggiare in prima classe

10   **E ADESSO TOCCA A VOI!**

a. Quali sono le vostre abitudini quando viaggiate?

Se viaggio in treno ...

vado in uno scompartimento	per fumatori. □	per non fumatori. □
preferisco un posto	accanto al finestrino. □	vicino al corridoio. □
di notte prendo	la cuccetta. □	il vagone letto. □

Se viaggio in aereo ...

di solito prendo	un volo di linea. □	un charter. □
preferisco un posto	accanto al finestrino. □	vicino al corridoio. □
durante il volo	leggo. □	non leggo. □

Se prendo la nave ...

di solito mi piace	stare dentro. □	stare fuori. □
normalmente	soffro il mal di mare. □	non soffro il mal di mare. □
dormire in cabina per me	è un lusso. □	è una necessità. □

Se vado in vacanza in macchina ...

preferisco viaggiare	di giorno. □	di notte. □
faccio una pausa	spesso. □	solo per fare rifornimento. □
durante il viaggio	ascolto la radio. □	non ascolto la radio. □

b. Confrontate con un compagno. Su dodici preferenze quante ne avete in comune?
Fareste un viaggio con lui? Se sì, come e dove?

⑪

Viaggiare in autostrada

Quasi tutte le autostrade in Italia sono a pagamento. Quando si viaggia in autostrada bisogna ritirare il biglietto al casello di entrata e poi pagare il pedaggio al casello di uscita. Spesso ai caselli si vedono delle lunghe code di autoveicoli, specialmente nei giorni che precedono o seguono le feste. Anche se non sempre è possibile evitare queste code, si può fare qualcosa per viaggiare più comodamente e più informati. Basta, per esempio accendere la radio e ascoltare uno dei 3 canali di Radio RAI che trasmettono i notiziari di ONDA VERDE, una trasmissione che dà informazioni sul traffico e sui lavori in corso su strade e autostrade. In certi tratti autostradali inoltre è possibile sintonizzarsi sui 103,3 Mhz di ISORADIO e ascoltare un programma speciale con notizie, informazioni su viabilità, turismo e con un'ottima scelta musicale. ISORADIO si riceve anche in galleria e su un'unica frequenza in tutta Italia.

Per gli automobilisti che hanno fretta o che non vogliono perdere troppo tempo al casello di uscita, la società Autostrade offre dei comodi sistemi di pagamento del pedaggio, i cosiddetti scansafila. Uno di questi è la VIACARD, una tessera magnetica che si può acquistare negli autogrill, presso gli uffici dell'Automobil Club Italiano, in alcune banche e in numerose tabaccherie. Con questa tessera il denaro non serve più, basta dare il biglietto di ingresso e la VIACARD all'impiegato e non si hanno più problemi di resto. Ci sono inoltre delle uscite con corsie preferenziali riservate a chi desidera pagare con la VIACARD o con la carta di credito. Qui si fa ancora più in fretta, bastano infatti pochi secondi per pagare. Si inserisce nella colonnina prima il biglietto e poi la VIACARD o la carta di credito: tutto è automatico e una voce guida nelle operazioni. Se poi si ha ancora più fretta, si può applicare, all'interno della propria autovettura, il TELEPASS, un piccolo apparecchio che consente di pagare il pedaggio senza fermarsi al casello. Un sistema elettronico rileva ad ogni passaggio la classe del veicolo e le stazioni di entrata e di uscita, stabilendo così l'ammontare del pedaggio; quest'ultimo è poi addebitato ogni tre mesi sul proprio conto corrente bancario. Facile, no? Per avere ulteriori informazioni digitate il sito www.domino.autostrade.it

Vero o falso?

		v	f
a.	In Italia si paga sempre il pedaggio in autostrada.	☐	☐
b.	Spesso prima e dopo i giorni festivi ci sono code ai caselli autostradali.	☐	☐
c.	Si possono avere informazioni sul traffico ascoltando la radio.	☐	☐
d.	Con la VIACARD è possibile pagare il pedaggio senza denaro.	☐	☐
e.	Ci sono uscite riservate agli automobilisti che hanno la VIACARD.	☐	☐
f.	La VIACARD si può comprare solo in autostrada.	☐	☐
g.	Chi ha il TELEPASS paga ogni mese i propri viaggi in autostrada.	☐	☐

(12)   E ADESSO TOCCA A VOI!

Per voi è comodo o è stressante andare in vacanza in macchina?
Vi informate sul traffico prima di mettervi in viaggio in macchina?
Siete soci di un club automobilistico? Secondo voi conviene?
Secondo voi a un turista straniero che viaggia in Italia conviene avere la Viacard?

(13)   DETTATO

■ E il biglietto _____ _____ _____ _____?

● Dunque ... dipende dal treno. Con il treno diretto _____ _____ _____ _____

    e con l'Eurostar _____ _____ _____, _____ ___ _____.

■ In _____ classe.

● In _____ classe _____ _____ andata.

■ Sì, _____ prenderei l'Eurostar che ci mette di meno.

● Sì, _____ _____ _____?

■ No, _____ _____. Guardi, non c'è urgenza _____ io partirei fra _____ settimane.

● Beh, in effetti in questo periodo _____ _____ _____ _____ trovare posto ...

■ _____, _____ _____ _____: ci penso oggi e _____ _____

    _____ ... _____ _____ _____ per telefono o _____ _____ _____?

● _____ _____ dare un colpo di telefono e poi magari, _____ _____, entro un paio

    di _____ passa, così regoliamo _____.

■ _____ _____ . Oh, _____, ha anche qualche dépliant _____ _____

    o di case private a Lipari?

● No, _____, dépliant non ne ho, però _____ degli alberghi convenzionati

    in tutte le categorie.

14　　　　　　　　　　**ESERCIZIO**

Rispondete secondo il modello. Attenzione: le combinazioni possibili a volte sono più di una.

> ☐ *Il biglietto quanto viene?*
> ○ Dunque ... dipende *dal treno*.

a. Si mangia bene a Lipari?
b. Piove molto in Irlanda?
c. È una spiaggia affollata?
d. C'è molto traffico sull'autostrada?
e. È buono quel vino?
f. Sono cari i biglietti per l'Aida?
g. È un albergo tranquillo?
h. Vai spesso in barca?
i. È caro l'aceto balsamico?
j. Giocate spesso a tennis?

ristorante　　stagione

ora del giorno　　giorno della settimana

annata

posto

marca　　　　　　　　tempo

posizione delle camere

vento

Completate.

> _____ dépliant = dei dépliant
>
> qualche albergo = _____ alberghi

15　　　　　　　　　　**ESERCIZIO**

Fate dei dialoghi secondo il modello.

> voi – catalogo di alberghi nelle Eolie – dépliant di alberghi convenzionati
>
> ☐ *Avete* qualche *catalogo di alberghi nelle Eolie?*
> ○ No, *cataloghi* non ne *abbiamo, abbiamo* però *dei dépliant di alberghi convenzionati.*

a. voi – guida di Milano – guide della Lombardia
b. Lei – bottiglia di Brunello del 1985 – bottiglie del 1987
c. tu – libro giallo – romanzi di fantascienza
d. voi – disco di cha cha cha – dischi di balli sudamericani
e. tu – cassetta di Gino Paoli – CD

(16) **ESERCIZIO**

Nei dialoghi appaiono le seguenti espressioni.
Come direste nella vostra lingua?
Scrivetelo qui sotto.

○ Vorrei/volevo...   _____

○ Dunque...   _____

○ Quindi...   _____

○ In effetti...   _____

(17) **ESERCIZIO**

Inserite adesso le espressioni nei seguenti dialoghi.

a. ○ In che anno è nato Dante? ▽ _____ nel 1265, mi pare.

b. ○ Non torno a casa prima delle sei. ▽ _____ telefonando alle sette ti trovo.

c. ○ Desidera? ▽ _____ sapere qual è la strada più breve per S. Gimignano.

d. ○ Ma in treno ci vuole troppo tempo! ▽ Beh, _____ 12 ore sono tante.

e. ○ Quando parti? ▽ Mah, _____ partire stasera; però devo ancora fare le valigie.

(18) **E ADESSO TOCCA A VOI!**

A Lei vuole andare in vacanza con **B** a circa 1200 chilometri dalla Sua città.
Per il Suo lavoro è costretto/-a ad usare spesso la macchina, perciò stavolta ha deciso di viaggiare in treno o in aereo (non è stressante, ci sono offerte convenienti, si può sempre prendere una macchina a noleggio, si evita il traffico in autostrada, eccetera).

B Lei vuole andare in vacanza con **A** a circa 1200 chilometri dalla Sua città.
Vuole partire in macchina, perché secondo Lei è il mezzo di trasporto più comodo (non si è legati a orari, si possono fare delle soste, è più facile trasportare i propri bagagli e eventuali oggetti che si acquistano durante il viaggio, eccetera).

53

(19) **ESERCIZIO**

Leggete l'inizio della storia e scegliete la continuazione.
Scrivete poi liberamente la conclusione.

> Tre famosi scrittori italiani sono in viaggio in Africa quando la loro jeep
> all'improvviso si ferma a causa di un guasto al motore. Dopo qualche tempo ...

**arriva una macchina da cui
scende un uomo che li porta**

**decidono di mettersi in cammino.
A un certo punto ...**

**in una caserma,
dove il colonnello ...**

**a casa sua dove li
ospita. I tre mangiano
e dormono ...**

**arrivano a un villaggio
in cui ...**

**si trovano
davanti a ...**

| che parla soltanto la sua lingua ... | che parla benissimo l'italiano ... | benissimo. La mattina dopo però arriva una cameriera che ... | malissimo. La mattina dopo fanno l'auto-stop e infine ... | ci sono due missionari che curano dei bimbi malati. I tre scrittori ... | non c'è nessuno. Continuano a camminare fino a quando ... | a un fiume dove vedono un indigeno presso una piccola barca e ... | un bivio. Due vogliono andare a destra e uno a sinistra. Allora ... |

LETTURA

Dacia Maraini, famosa scrittrice italiana, racconta a Panorama quello che le è capitato alcuni anni prima durante un viaggio in Africa.

Io, Moravia e Pasolini stavamo facendo un viaggio in un paese dell'Africa centrale. Viaggiavamo su una Land Rover che a un certo punto si è bloccata in una strada dove non passava anima viva. Dopo qualche ora si è fermata una lussuosa Mercedes scura. È uscito un prelato locale che ci ha invitato alla sua Missione, offrendoci gentilmente assistenza e ospitalità per la notte. Il posto era meraviglioso e il prete si è rivelato subito un grande esperto di calcio italiano, anche se non conosceva né Moravia né Pasolini. Le due stanze erano accoglienti e la cena buonissima. Il mattino dopo eravamo in imbarazzo: non sapevamo se lasciare o no un'offerta. "Magari si offendono" abbiamo pensato. Mentre discutevamo è arrivata una cameriera africana e ci ha consegnato il conto. Salatissimo. Come quello di un grande albergo europeo.

(da *Panorama*, 9/7/98)

a. Che titolo dareste a questo testo?

b. Tornando al testo completate le frasi e per ogni frase decidete se si tratta di ...

   1. un'azione conclusa, **2.** un'azione in corso, **3.** una descrizione,

   4. un incontro di due azioni, **5.** uno stato d'animo.

_____ un viaggio ... ☐

non _____ anima viva ... ☐

_____ una lussuosa Mercedes ... ☐

_____ in imbarazzo ... ☐

Mentre _____, _____ una cameriera africana ... ☐

E ADESSO TOCCA A VOI!

Vi è mai capitata una disavventura durante un viaggio?
Raccontatela a un vostro compagno di corso.

Che studi ha fatto?

① **PER INIZIARE**

Trovate molte differenze fra il sistema scolastico italiano e quello del vostro paese?
In che cosa vi soddisfa il sistema scolastico del vostro paese? In che cosa non vi soddisfa?

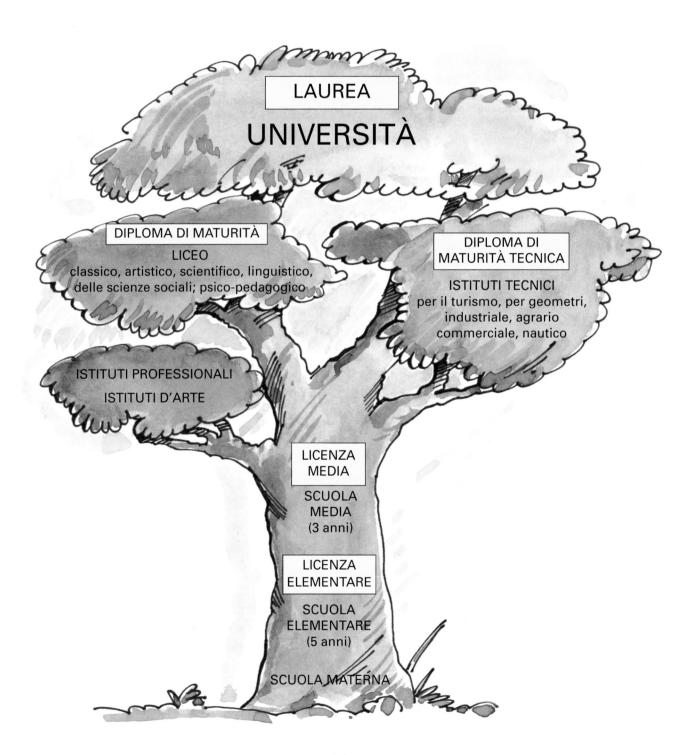

ASCOLTO

Il dottor Fumagalli ha avuto un colloquio
di lavoro con due persone: un uomo e una donna.

a. Indicate chi dei due …

		lui	lei
ha frequentato	l'istituto tecnico per il turismo.	☐	☐
	il liceo classico.	☐	☐
si è iscritto all'università.		☐	☐
è andato	in Inghilterra.	☐	☐
	in America.	☐	☐
ha lavorato	in un albergo.	☐	☐
	in una agenzia turistica.	☐	☐
parla lo spagnolo.		☐	☐
parla il tedesco.		☐	☐
è sposato.		☐	☐

b. Per quale delle due persone il dottor Fumagalli usa i seguenti aggettivi:

	lui	lei
dinamico	☐	☐
affidabile	☐	☐
serio	☐	☐
abile	☐	☐
positivo	☐	☐

c. Per quando intende fissare il dottor Fumagalli il prossimo appuntamento?

_____

(3)   **LETTURA**

Leggete i seguenti annunci.

2	RICERCHE DI COLLABORATORI

CERCASI segretaria part-time per studio legale. Tel. 02-2789561.

COMPAGNIA di assicurazioni ricerca neodiplomati da avviare ad attività di liquidazione danni. Si prega di inviare dettagliato curriculum a: Corriere 290-AC – 20100 Milano.

EMITTENTE radiotelevisiva locale ricerca collaboratore. Richiedesi massima serietà, disponibilità giorni festivi, massimo 28enne, militesente. Inviare richiesta scritta, foto e curriculum a Telesette, Via delle Ghiaie n. 39 – 38100 TN.

MOBILIFICIO ricerca collaboratori/-trici per promozioni province Trento, Verona, Trieste, Udine. Età 22/35 automuniti. Corso di arredamento gratuito. Tel. 02/314678

EUROVIAGGI cerca per ufficio di Roma collaboratore / collaboratrice. Richiedonsi ottima conoscenza inglese e seconda lingua, facilità di contatto umano, ambizione professionale, dinamismo. Offresi vera opportunità professionale in ambiente giovane, creativo ed in continua espansione. Inviare curriculum a: Euroviaggi – CORRIERE 762–SC – Milano

(4)   **ESERCIZIO**

   a. Qual è l'inserzione che ha fatto pubblicare il dott. Fumagalli?

   b. In quali offerte di lavoro si cercano solo uomini o solo donne?

   c. Cercate negli annunci come si dice di una persona che ...

       ha 28 anni.

       ha la macchina.

       non deve fare il servizio militare.

       che è diplomata da poco.

   d. Cercate negli annunci tutte le forme con il «si» impersonale.

CD (5)   **DIALOGO**

- ■ È permesso?
- ● Si accomodi, dottor Fumagalli.
- ■ Buongiorno, Signora Turrini.
- ● Buongiorno. Allora, mi dica. Ha avuto i colloqui di lavoro oggi?
- ■ Sì, ho avuto i colloqui e si sono presentate diverse persone e fra queste, due particolarmente interessanti.
- ● E cioè?
- ■ E cioè un giovane di ventotto anni e una ragazza di ventisei anni.

(6) **ESERCIZIO**

Completate le frasi con i seguenti verbi al passato prossimo.

diplomarsi – incontrarsi – iscriversi – laurearsi – presentarsi – riunirsi

a. Oggi alla facoltà di medicina _____ solo 3 studenti.

b. Al corso di francese _____ 22 persone.

c. Oggi all'esame di chimica _____ solo una studentessa.

d. Nella nostra scuola quest'anno _____ 30 studenti.

e. I professori e gli studenti _____ per discutere.

f. Il direttore _____ con i suoi collaboratori.

(7) **ESERCIZIO**

Fate il dialogo secondo il modello.

in vacanza – io – leggere – due bei romanzi – «Sostiene Pereira» e «Il nome della rosa»
☐ *In vacanza ho letto due romanzi.*
△ *E cioè?*
☐ *«Sostiene Pereira» e «Il nome della rosa»*

a. l'estate scorsa – Luisa – visitare – due piccole città

b. domenica – io – rivedere – due ex compagni di scuola

c. a Verona – loro – andare a vedere – due bellissime opere

d. oggi – noi – comprare – due dischi

e. l'anno scorso – Mario – ripetere – due esami

f. la settimana scorsa – noi – vedere – due film

uno di Paolo Conte e uno di Lucio Dalla

«Il barbiere di Siviglia» e «La Traviata»

Mario e Alberto

«Casablanca» e «Titanic»

Tuscania e Tarquinia

quello di storia e quello di letteratura

CD₂₀ (8)

DIALOGO

- ■ Comincio con il ragazzo?
- ● Sì.
- ■ Dunque, il ragazzo ha esperienze un po' particolari perché ha fatto il liceo classico, poi si è iscritto all'università, a matematica*, e ha vinto una borsa di studio per l'America. Quindi si è trasferito negli Stati Uniti, e lì a un certo punto non ha più voluto continuare l'università e ha cominciato a lavorare come guida turistica.

*a matematica: colloquiale per «alla facoltà di matematica»

Completate.

> Il ragazzo non _____ più _____ continuare l'università.

(9)

ESERCIZIO

Fate delle frasi secondo il modello.

> Paolo – non volere più continuare l'università – cominciare a lavorare come guida turistica
>
> *Paolo a un certo punto non ha più voluto continuare l'università e ha cominciato a lavorare come guida turistica.*

- **a.** Luisa – non potere più continuare gli studi – cominciare a lavorare
- **b.** mio fratello – non volere più studiare – cercare un lavoro
- **c.** Gianni – non volere più lavorare col padre – mettersi in proprio
- **d.** loro – volere sapere la verità – io dovere dire tutto
- **e.** il dott. Reni – dovere smettere di fumare – riuscirci
- **f.** io – non potere più pagare l'affitto – prendere un monolocale

LETTURA

CURRICULUM VITAE

Nome	Paolo Iannini
Luogo e data di nascita	Napoli, 6 marzo 19..
Indirizzo	Viale Cola di Rienzo, 48 - 00154 Roma
Telefono	06 - 4465372
Nazionalità	Italiana
Stato civile	Coniugato con Susanne Brecht, impiegata presso l'Ambasciata della Repubblica Federale Tedesca
Posizione militare	19.. - 19.. Servizio militare prestato presso l'XI Battaglione "Lanciano" di Roma
Studi	Diploma di maturità conseguito il 15/7/19.. presso il "Liceo A. Manzoni" di Napoli con la votazione di 58/60 19.. - 19.. Università di Napoli, facoltà di matematica 19.. - 19.. Columbus College di Boston
Lingue conosciute	Francese, inglese e spagnolo (ottima conoscenza), tedesco (conoscenza discreta)
Esperienza professionale	20.. - 20.. Guida turistica presso l'agenzia "Magic Tours" di Boston
Referenze	Disponibili su richiesta

⑪

E ADESSO TOCCA A VOI!

Con l'aiuto dell'insegnante provate a scrivere il vostro curriculum o quello di una persona che conoscete.

CD$_{21}$ ⑫   **DETTATO**

● Che studi ____ _____ ___ _____?

■ Dunque, ____ _____ l'istituto tecnico per il turismo, ____, _____ la maturità,

__ _____ __ Inghilterra _____ ____ ____ parenti ____ _____ __

_____ __ Brighton.

● E _____ _____ è rimasta ____ _____?

■ __ _____ _____, ___ _____, _____ poi, per motivi di _____,

è dovuta ritornare ad Aosta.

● __ _____. __ ___ ____ ___ _____ poi __ _____?

■ Poi, vicino ad Aosta, ____ _____ __ __ _____ __ _____ _____.

Poi si è sposata. ____ _____ __ __ _____ __ _____ ____

_____ e quindi anche lei si è dovuta trasferire __ _____ ____ ____ __

_____ __ _____ __ cerca _____ .

Completate.

> La ragazza ____ _____ ritornare ad Aosta.
>
> La ragazza ___ ____ _____ trasferire a Roma.
> La ragazza ha dovuto trasferirsi a Roma.

⑬   **ESERCIZIO**

Fate delle frasi secondo il modello.

> La ragazza non è rimasta molto tempo in Inghilterra perché è dovuta ritornare in Italia.

    a. Io non _____ potut__ arrivare in tempo perché _____ trovat__ traffico.

    b. Franca si _____ dovut__ trasferire perché il marito _____ cambiat__ lavoro.

    c. Carolina non _____ volut__ sposarsi perché non _____ trovat__ l'uomo giusto.

    d. Fabio non si _____ potut__ laureare perché _____ cominciat__ a lavorare.

ESERCIZIO

Trasformate le frasi dell'esercizio precedente secondo il modello.

> La ragazza non è rimasta molto tempo in Inghilterra **perché** è dovuta ritornare in Italia.
>
> La ragazza *è dovuta ritornare in Italia* e **quindi** *non è rimasta molto tempo in Inghilterra.*

   a. Io _____

   b. Il marito di Franca _____

   c. Carolina _____

   d. Fabio _____

 E ADESSO TOCCA A VOI!

A Lei è il direttore/la direttrice dell'agenzia Euroviaggi che cerca un collaboratore. Chieda al capo del personale i risultati dei colloqui che ha avuto oggi. Si informi sul curriculum dei candidati che si sono presentati.

B Lei è il capo del personale della Euroviaggi e ha avuto un colloquio di lavoro con le seguenti persone. Riferisca al direttore / alla direttrice.

Adriana Reali – anni 24 – di Catania – nubile – liceo linguistico – tedesco, inglese e spagnolo – alla pari in Germania e in Inghilterra – 1 anno come segretaria presso l'ufficio esportazioni della Speedy e Co.

Mauro Parisi – anni 25 – di Genova – celibe – istituto tecnico commerciale – inglese e tedesco – un anno a Colonia – 3 anni presso il club vacanze Valtur.

LETTURA

Ed ecco la domanda di lavoro che ha presentato la ragazza.

Angela Vecchioni
Via Ludovisi, 35
00145 Roma

Roma, 29/7/2002

Spett. Euroviaggi,

in riferimento al Vostro annuncio pubblicato sul "Corriere della Sera" del 26/7/2002, mi permetto di presentare domanda per l'impiego in questione. Ho 26 anni, sono coniugata, senza figli e da circa un anno abito a Roma. Nel 1996 mi sono diplomata presso l'Istituto tecnico per il turismo di Aosta con la votazione di 60/60.

Nel 1998 mi sono trasferita in Inghilterra dove ho lavorato per sei mesi come aiuto receptionist presso l'albergo "Golden Key" di Brighton. Al mio ritorno in Italia ho lavorato per due anni come receptionist presso l'hotel "Cavallo Bianco" di Aosta. Essendo di Aosta parlo perfettamente il francese. So esprimermi inoltre correttamente in inglese e sono in grado di tenere una corrispondenza commerciale nelle due lingue.

Ringraziando per l'attenzione, Vi saluto cordialmente

Angela Vecchioni

Completate.

_____ di Aosta, parlo perfettamente il francese.
Parlo perfettamente il francese **perché sono** di Aosta.

ESERCIZIO

Trasformate le seguenti frasi. Usate il gerundio.

    a. Parlo bene lo spagnolo perché abito a Madrid.

    _____

    b. Giovanna fa molto sport perché ha tanto tempo libero.

    _____

    c. Lisa non ha tempo per lo studio perché lavora tutto il giorno.

    _____

    d. Posso fare quello che voglio perché vivo da solo.

    _____

    e. Mario lavora molto perché deve mantenere la famiglia.

    _____

    f. Carlo parla bene il tedesco perché è di Merano.

    _____

(18)

ESERCIZIO

Domandate a un altro studente quello che sa fare. Segnate con una crocetta le risposte.

Sai/sa ...?

	sì	no			sì	no
a. suonare la chitarra	☐	☐	**g.** inviare un SMS		☐	☐
b. guidare la motocicletta	☐	☐	**h.** sciare		☐	☐
c. ballare il walzer	☐	☐	**i.** lavorare a maglia		☐	☐
d. nuotare	☐	☐	**j.** cucinare		☐	☐
e. usare il computer	☐	☐	**k.** cucire		☐	☐
f. stenografare	☐	☐	**l.** andare a cavallo		☐	☐

E ADESSO TOCCA A VOI!

a. Scrivete la lettera che hanno mandato le persone nominate nell'attività 15.

b. Anche Lei come il dottor Fumagalli sta cercando un collaboratore per la sua agenzia di viaggi. Sottoponga il candidato al seguente test. Decida poi se assumerlo o no.

---

1. Durante la visita a un monumento, uno dei partecipanti le pone una domanda a cui Lei non sa rispondere. Cosa fa?

   a. Inventa la risposta.
   b. Si scusa dicendo che Lei non può sapere tutto.
   c. Apre la sua guida e cerca la risposta.
   d. Altro: _____
   _____

2. Uno dei partecipanti irrita in continuazione gli altri con il suo comportamento. Cosa fa?

   a. Lo rimprovera davanti a tutti.
   b. Lo prende da parte e parla con lui.
   c. Dice agli altri partecipanti di ignorarlo.
   d. Altro: _____
   _____

3. I partecipanti non sono soddisfatti del trattamento dell'albergo che li ospita. Cosa fa?

   a. Parla personalmente con il direttore.
   b. Lascia protestare direttamente i partecipanti.
   c. Si mette immediatamente a cercare un altro albergo.
   d. Altro: _____
   _____

4. In un negozio di souvenirs, Lei vede un partecipante rubare un oggetto. Cosa fa?

   a. Lo avvicina e gli dice di rimettere a posto quello che ha preso.
   b. Fa finta di niente.
   c. Avverte il proprietario del negozio.
   d. Altro: _____
   _____

5. Un partecipante rifiuta la camera dove deve alloggiare perché dà sulla strada. Nell'albergo non ci sono però altre camere libere. Cosa fa?

   a. Lo invita ad avere pazienza.
   b. Chiede se c'è un altro partecipante disposto a scambiare la camera.
   c. Gli offre la sua camera che dà sul cortile.
   d. Altro: _____
   _____

6. Durante la visita a un famoso monumento, scopre che un partecipante controlla sulla sua guida se quello che Lei dice è vero. Cosa fa?

   a. Lo invita a chiudere la guida.
   b. Lo ignora.
   c. Alla fine di ogni spiegazione chiede scherzosamente se la persona conferma.
   d. Altro: _____
   _____

LETTURA

Il seguente brano è tratto da «Mi ricordo, sì, io mi ricordo» di Marcello Mastroianni (Baldini & Castoldi, 1997), un libro in cui il grande attore italiano racconta alcuni episodi della sua vita e della sua carriera.

«Va bene, grazie Commendatore»

Un ricordo che mi commuove, così, per la sua ingenuità – anche perché l'ho davvero tormentato: De Sica!

Devo dirvi che mia madre, da giovane, lavorava come dattilografa alla Banca d'Italia; e la sua amica, dattilografa anche lei, era la signora Maria – sorella di Vittorio De Sica. Figuriamoci! Io, che volevo far l'attore, ogni tanto dicevo: «Mamma, andiamo a trovare la signora Maria (abitava ai Parioli), così mi fa un biglietto per suo fratello?» e allora andavamo.

La visita, il caffè, eccetera. Poi, molto pazientemente, questa donna mi scriveva il solito bigliettino: «Il figlio di una mia cara amica» eccetera. E io regolarmente mi presentavo là dove De Sica stava girando, all'ora di pausa. «Commendatore, scusi, sua sorella...» E De Sica ogni volta diceva: «Ma figlio mio» – io allora avevo quindici anni – «studia, studia! Vedrai, un giorno... Adesso studia, però.» «Va bene, grazie Commendatore.» Tre mesi dopo, ero di nuovo lì. Io sono andato avanti anni, così. Povero De Sica, che adoravo: e dopo ancora di più, quando ci ho lavorato.

E ADESSO TOCCA A VOI!

a. Per ottenere una parte in un film di De Sica il giovane Marcello cercava di ricorrere a una vecchia pratica italiana: la raccomandazione. Quest'abitudine è diffusa anche nel vostro paese? Avete mai ottenuto un lavoro o un vantaggio grazie a una raccomandazione?

b. Marcello Mastroianni da giovane sognava di fare l'attore e in seguito c'è riuscito. E voi avevate un sogno da giovani? Siete riusciti a realizzarlo?

LEZIONE 6

Hai visto che casa?

① **PER INIZIARE**

In quale di queste case vi piacerebbe abitare? Perché?

La mia casa ideale ...

a. dovrebbe avere una superficie di almeno _____ mq.

b. dovrebbe avere _____ stanze di cui

___ camera/e da letto, ____ altre camere, ____ bagno/i ____ garage,

altro _____

c. dovrebbe essere   in città. ☐   fuori città. ☐

d. dovrebbe essere   in un edificio moderno. ☐   in un edificio d'epoca. ☐

ASCOLTO

Una coppia è andata a trovare degli amici. Tornando
a casa, lui e lei cominciano a discutere.

a. Qual è la situazione della coppia che parla?

lavoro _____

figli _____

abitazione _____

situazione economica _____

b. Qual è il loro problema attuale?

_____

_____

CD₂₃

(3) **DIALOGO**

■ Hai visto? Hai visto che casa si sono comprati
   Maurizio e Valeria, eh?
● Eh, bella!
■ Bella, sì! Se io penso che adesso torniamo in
   quel buco di casa che è la nostra casa!
● Ah, buco! Non esagerare, non è un buco.
■ No? Che cos'è?
● È un appartamentino carino in centro.
■ È un appartamentino ino, ino, ino.
   È piccolo, è piccolo, è piccolo.

(4) **ESERCIZIO**

Trasformate secondo il modello.

> Maurizio e Valeria hanno comprato una bella casa.
>
> → Hai visto che casa si sono comprati Maurizio e Valeria?

a. Francesco ha mangiato un enorme piatto
   di spaghetti.
b. Mario ha bevuto un enorme boccale di
   birra.
c. Silvia ha trovato un lavoro ben pagato.

d. Gianni ha preso una bella sbronza.
e. La signora Pozzi ha comprato una villa sulla
   via Appia.
f. I Masini hanno comprato una macchina
   molto costosa.

(5) **ESERCIZIO**

appartamento / un buco – appartamentino carino, in centro

> ☐ *Quest'appartamento* è proprio *un buco!*
> ○ Ah, *buco!* Non esagerare, non è *un buco!*
> ☐ No? Che cos'è?
> ○ È *un appartamentino carino, in centro.*

a. quadro / una crosta – quadro non
   particolarmente bello
b. macchina / un bidone – macchina che ha
   qualche anno

c. film / una pizza – film un po' intellettuale
d. vestito / uno straccio – modello un po' fuori
   moda
e. libro / un mattone – romanzo un po' pesante

Una casa da comprare nelle piccole città storiche: Chioggia

Con affreschi d'epoca

In una residenza signorile è in vendita un appartamento che occupa tutto il piano nobile. Misura circa 250 metri quadrati.

DOVE SI TROVA – Lungo la strada principale di Chioggia, quella che va dalla Porta di S. Maria alla piazzetta di Vigo verso il mare, è in vendita in uno dei palazzi più significativi della cittadina, un appartamento posto al piano nobile, quello col balcone.

COME È COMPOSTO – L'appartamento, che occupa tutto il piano, comprende l'ingresso, un salone-soggiorno di circa 70 metri quadrati che dà sul balcone, la cucina, 4 stanze da letto e 2 bagni. Nel salone e in alcuni locali vi sono affreschi d'epoca. Per renderlo rispondente alle esigenze di oggi sono necessari alcuni lavori di ammodernamento, in particolare nei servizi. La superficie utile è di circa 250 metri quadrati.

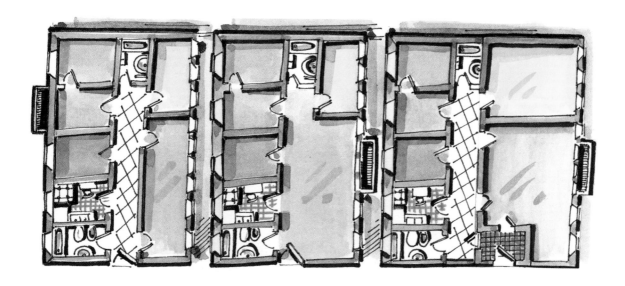

a. Quale di queste tre piantine corrisponde all'appartamento descritto?

b. Quanto sareste disposti a pagare per questo appartamento?

71

⑦   **ESERCIZIO**

Una grande sala è un salone. E come si dice di …

una grande porta   _____   guanti da boxe   _____

una maglia pesante   _____   un ombrello da spiaggia _____

scarpe da montagna   _____   una giacca pesante   _____

Una piazzetta è una piccola piazza. E come si dice di …

una piccola scatola   _____   una piccola barca   _____

una piccola casa   _____   quasi un'ora   _____

un disco per il computer _____   un piccolo pacco   _____

una piccola borsa   _____   un lavoro che dura poco   _____

⑧   **E ADESSO TOCCA A VOI!**

A Lei è il proprietario della casa qui sotto e deve venderla perché ha urgentemente bisogno di soldi. Ovviamente non vorrebbe venderla a un prezzo troppo modesto. Ieri una persona sembrava interessata a comprarla, ma voleva pensarci su. Oggi Le telefona per darLe una risposta. Probabilmente vuole trattare sul prezzo. Cerchi di non cedere illustrando i pregi dell'immobile.

B Lei ha visitato la casa offerta qui sotto ed è interessato ad acquistarla. Il prezzo però le sembra troppo alto. Telefoni al proprietario, che ieri le ha mostrato la casa, e cerchi di ottenere un prezzo inferiore.

DIALOGO

■ Io ho parlato con tuo padre più di una volta e
tuo padre mi ha detto che ci darebbe i soldi.

● Ma i soldi dei miei non ti basterebbero.

■ Va bene, ma potremmo aprire un mutuo, e
in dieci anni, in quindici anni la casa sarebbe
nostra. E poi scusa, io sono architetto, devo
lavorare in uno studio e devo pagare l'affitto
per questo studio ogni mese. Con una
casa più grande io avrei la mia stanza, che
sarebbe il mio studio, e sarebbe tutto meglio.

● Sì, ma dovremmo fare dei sacrifici.

Completate.

Tuo padre mi ha detto che ci _____ i soldi.

I soldi dei miei non ti _____.

Con una casa più grande io _____ la mia stanza.

Noi _____ fare dei sacrifici.

 ESERCIZIO

Unite le frasi della prima colonna con quelle della seconda.

Ho parlato con il professore e mi ha detto che …	… domani voi dovreste finire quel lavoro.
Ho parlato con il capufficio e mi ha detto che …	… potremmo vincere il processo.
Ho telefonato al meccanico e gli ho detto che …	… loro ci aiuterebbero.
Sono andata dal medico e mi ha detto che …	… vorrei avere la macchina entro domani sera.
Ho telefonato ai miei genitori e mi hanno detto che …	… tu potresti farcela a superare l'esame.
Siamo andati dall'avvocato e ci ha detto che …	… dovrei fumare di meno.

(11)

ESERCIZIO

Fate dei dialoghi secondo il modello

> tuo padre *darci* i soldi – i soldi dei miei non *bastarci*
>
> △ Tuo padre *ci darebbe* i soldi.
> □ *Sì, ma* i soldi dei miei non *ci basterebbero.*

a. noi potere trasferirci in campagna – dovere alzarci presto per andare a lavorare

b. piacermi andare in vacanza per 6 mesi – tu dovere lasciare il lavoro

c. noi potere comprare un appartamento in centro – costare un occhio della testa

d. io rivedere volentieri quella commedia – tu dovere fare due ore di fila al botteghino

e. lei volere investire i risparmi in azioni – poi rischiare di perderli

f. tu potere visitare ancora un museo – un'ora non bastarmi

g. voi potere trasferirvi al piano superiore – dovere rinunciare al giardino

CD₂₅ **(12)**

DETTATO

■ ____ _____ che casa? _____ è più _____: la _____ ___ il doppio,

e il salotto è piu _____. Il _____ è ___ _____. Le _____ da letto sono

più _____. Il terrazzo è più _____. Perfino lo sgabuzzino è ___ _____.

● E chi ___ pulirebbe ____ _____?

■ E chi ____ pulirebbe? La colf. Loro _____ la colf? ___ _____ anch'io. Perché ____

_____ _____ qualcosa che loro _____?

● _____ _____, va', adesso sei nervoso. Dai! Ne riparliamo. _____ _____ a mamma.

■ Va be', telefona a mamma. E poi, _____ il discorso dei soldi che _____ ___ _____ ...

Tu _____ _____ che quei soldi è meglio investirli. Quale investimento migliore

di una _____?

● Sì, _____ ___ _____.

■ Appunto.

Completate.

> _____ riparliamo. = Riparliamo di questo.

(13) ESERCIZIO

Completate le seguenti frasi.

a. Lui non parla mai di politica, loro invece

_____ sempre.

b. Io non approfitto mai della gentilezza di

Franco, voi invece _____

continuamente.

c. Loro non dubitano della mia sincerità.

Lei invece purtroppo _____ .

d. Voi non godete di certi vantaggi, noi invece

_____ .

e. Lui non soffre di mal di testa e non può

capirlo, io invece _____ e so cosa

significa.

f. Lui ha voglia di andare in montagna ogni

fine settimana, ma io non _____ .

g. Io sono il receptionist, non rispondo della

pulizia delle camere, _____ solo

il signor Bossi.

Completate.

Tu dici sempre che i soldi è _____ investirli.

Quale investimento _____ di una casa?

(14) ESERCIZIO

Unite le frasi.

Tu dici sempre che …

a. le ferie è meglio prenderle in autunno:

b. le vacanze è meglio passarle in campagna:

c. per te sarebbe meglio cambiare lavoro:

d. per Giorgio sarebbe meglio trovare moglie:

e. per Marisa sarebbe meglio fare un po' di sport:

f. sarebbe meglio cercare una nuova colf:

quale …

idea migliore di presentargli
una delle tue amiche? (**1.**)

persona migliore della
moglie del portiere? (**2.**)

periodo migliore di ottobre? (**3.**)

posto migliore della casa
dei miei genitori?(**4.**)

impiego migliore di questo? (**5.**)

regalo migliore di una bicicletta? (**6.**)

E ADESSO TOCCA A VOI!

I vostri amici vogliono trasferirsi in un appartamento più grande e vi hanno chiesto di aiutarli ad arredarlo. Quali mobili usereste ancora? Quali altri comprereste? Come li sistemereste?

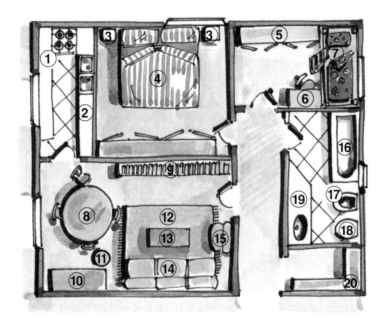

1. cucina a gas
2. lavandino
3. comodino
4. letto matrimoniale
5. armadio
6. scrivania con sedia
7. letto a castello
8. tavolo con sedie
9. libreria
10. cassettiera
11. lampada
12. tappeto
13. tavolino
14. divano
15. poltrona
16. vasca da bagno
17. bidet
18. water
19. lavabo
20. scaffali

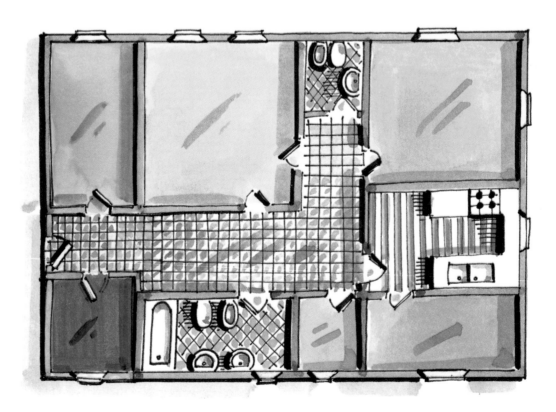

Caro Nicola,

ho provato a telefonarti, ma non mi ha risposto nessuno, così ti scrivo, perché tu sei per me come un fratello maggiore a cui posso sempre chiedere un consiglio.

Dunque, Nicola, ho un problema, ed è un problema non piccolo. Mio cognato mi ha proposto di entrare a lavorare con lui. Ti ho già detto, credo, che da qualche anno lui si occupa di computer (vende computer e programmi). Il lavoro va molto bene e così, visto che ci sono molte richieste e che lui da solo non ce la fa più, ha pensato a me come socio. Ovviamente dovrei versare un certo capitale ma, a quel punto, diventerei gestore del mio lavoro, senza orari rigidi e con ben altre soddisfazioni economiche. Che ne dici? Non sarebbe una bella idea? Purtroppo c'è un ma, e quel ma sono io. Ho paura di rischiare troppo. Cominciare a lavorare con mio cognato significherebbe lasciare il lavoro in banca, di cui comincio ad essere un po' stanco, ma che alla fine del mese mi dà il mio bravo stipendio e, ogni anno, le mie cinque settimane di ferie. Un'altra cosa di cui mi preoccupo un po' è che — come ti ho detto — dovrei versare un certo capitale, che io però purtroppo momentaneamente non ho. È vero che i miei suoceri dicono che sarebbero disposti ad aiutarmi (e certo lo farebbero volentieri dal momento che io entrerei a lavorare con il figlio); ma a questo punto non credi che dipenderei un po' troppo dalla famiglia di mia moglie? Tu cosa ne pensi? Che faresti al mio posto?

Aspetto il tuo consiglio che so già prezioso.

Ti abbraccio

Massimo

a. Fate una lista dei vantaggi e degli svantaggi che Massimo vede nel cambiare lavoro.

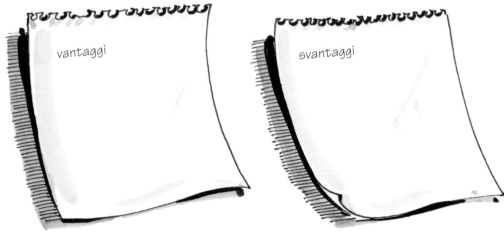

vantaggi

svantaggi

b. Che cosa consigliereste a Massimo?

Caro Massimo,

ho appena letto la tua lettera. Cosa posso dirti? Il lavoro in proprio è una bellissima cosa, ma comporta non pochi rischi. Ti senti pronto ad affrontarli? Sì? No? Sei tu che devi decidere. Hai ragione quando dici che non avresti più orari rigidi, ma certamente non saresti neanche a casa tutti i giorni alle cinque come fai adesso. E poi è vero che lavorando con tuo cognato guadagneresti di più, ma quanto dovresti lavorare per questo? Forse anche i sabati e le domeniche. Pensa che lavorare in proprio significa investire in continuazione tempo e denaro. Per quest'ultimo ti potresti rivolgere alle banche che, come ben sai, non sono generose e simpatiche come i tuoi suoceri. Insomma Massimo, che posso dirti? In fondo devi essere tu a decidere se è meglio o peggio cambiare lavoro. Vuoi sapere che cosa farei io al tuo posto? Ma io non sono al tuo posto. Purtroppo non so che dirti. L'unico consiglio che mi sento di darti è quello di riflettere bene prima di prendere una decisione così importante.

Un caro saluto

Nicola

a. Nicola condivide i dubbi di Massimo? **b.** Vede altri vantaggi o svantaggi?

Completate.

avverbi		**aggettivi**	
bene → _____		_____ più _____ / migliore	
_____ peggio		cattivo → più cattivo / peggiore	
molto → _____		grande → più grande / _____	
poco → di meno		piccolo → più _____ / minore	

ESERCIZIO

Completate le frasi.

a. Io qui guadagno poco. Lì guadagnerei

_____.

b. L'idea non è cattiva. Ma forse, riflettendo,

ne trovi una _____.

c. È un buon ristorante, ma quello secondo

me è _____.

d. Tu fumi troppo, dovresti fumare

_____.

e. Mi sentivo male, ma adesso mi sento

_____.

f. Non sono figlia unica, ho un fratello

_____.

g. La situazione economica era già critica, ma

ora è diventata decisamente _____.

h. I politici del nostro paese sono mediocri, ma

i vostri sono certamente _____.

(18) **E ADESSO TOCCA A VOI!**

Chiedete un consiglio ad un amico o a un conoscente. Scrivete una lettera o parlatene in classe.

Lei abita in affitto in un appartamento in centro. In periferia c'è in vendita una bellissima casa con giardino ad un prezzo molto conveniente. Lei ha l'hobby del giardinaggio.

Vantaggi:
– ottimo investimento
– casa più grande, più spazio
– giardino
– aria pulita, tranquillità
– coniuge d'accordo

Svantaggi:
– rate del mutuo abbastanza alte (ora affitto basso)
– fuori città: non ci sono cinema, teatri ecc.
– ora al lavoro con i mezzi pubblici, poi in macchina
– traffico sulla strada per andare al lavoro
– figli contrari

b. La Sua ditta Le ha proposto un trasferimento all'estero per un periodo di tre anni.

Vantaggi:
– ottimo stipendio
– esperienza interessante
– avanzamento di carriera
– possibilità di conoscere ambiente nuovo
– bella casa a disposizione
– macchina pagata dalla ditta

Svantaggi:
– clima
– non parlare la lingua del paese
– famiglia contraria al trasferimento

Sentiti a casa tua!

PER INIZIARE

Quali di questi apparecchi ritenete indispensabili? Quali superflui?
Quali possedete già? Quali vorreste comprare o ricevere in regalo?
Parlatene con un compagno.

segreteria telefonica ☐
condizionatore d'aria /ventilatore ☐
frullatore ☐
grattugia elettrica ☐
aspirapolvere ☐
lavastoviglie ☐
lettore di CD o di DVD ☐
televisore ☐
videoregistratore ☐
spazzolino elettrico ☐
forno a microonde ☐
radiosveglia ☐
computer ☐
....

ASCOLTO

Marisa ha intenzione di passare qualche giorno da Marco, ma lui, dovendo partire improvvisamente, le telefona.

a. Marco non parla subito con Marisa perché

la linea telefonica è occupata. ☐   Marisa è fuori stanza. ☐   ha sbagliato numero. ☐

b. Chi ha le chiavi dell'appartamento di Marco?

_____

c. Per non far suonare l'allarme Marisa deve

girare la chiave

	una volta	☐			
	due volte	☐	verso	destra.	☐
	tre volte	☐		sinistra.	☐

d. Quali cose Marisa non deve usare o deve usare con attenzione?

telefono	☐	doccia	☐
automobile	☐	finestra del salotto	☐
forno	☐	porta del bagno	☐
riscaldamento	☐	lavatrice	☐

e. A chi deve lasciare le chiavi dell'appartamento Marisa quando riparte?

_____

LEZIONE 7

CD 27 ③   **DETTATO**

■ Snam, _____.

● _____, _____ _____ _____ la signora Briganti, _____ _____.

■ Sì, chi devo dire?

● _____ Marco Sacchi.

■ Sì, un attimo.

● Marco?

▲ Sì, _____ _____ Marisa?

● Sì, _____ _____ _____ _____. Dove sei?

▲ Sono _____ _____ , _____ _____.

● Come stai partendo?!

▲ Sì, _____ _____ a Napoli.

● Oh, e come facciamo allora _____ ___ _____?

▲ Eh, sì, purtroppo _____ _____, comunque _____ _____ _____ perché

  ___ ___ lasciato ___ _____ alla vicina.

④   **ESERCIZIO**

I. Riascoltate nel dettato le seguenti due frasi facendo attenzione alla diversa intonazione.

Come stai partendo?!
E **come** facciamo allora per l'appartamento?

II. Secondo i due esempi inserite nei seguenti dialoghi la punteggiatura e leggeteli poi con la giusta intonazione.

a. *Il televisore non funziona.*
E ora come facciamo___ Fra cinque minuti c'è la partita!
Come non funziona ___ Cinque minuti fa funzionava!

b. *Sta piovendo.*
Come sta piovendo ___ Poco fa c'era il sole!
E adesso come torno a casa ___ Sto in bicicletta!

c. *Oggi faccio il pollo.*
Come lo fai ___ Di nuovo al forno?
Come rifai il pollo ___ L'hai fatto anche ieri!

d. *Allora me ne vado.*
Come te ne vai___ C'è ancora tanto da fare!
E come faccio a finire il lavoro da solo ___

e. *Franco si è ammalato.*
E ora come fa con il negozio ___
Come si è ammalato ___ Ieri stava benissimo!

82

 5

DIALOGO

● Senti, io ho lasciato qualcosa in frigorifero,
quindi mangia quello che vuoi, bevi quello
che vuoi, insomma, sentiti a casa tua.

■ Grazie, sì.

● E a proposito, ho lasciato degli yogurt in frigorifero.
Mangiali, altrimenti vanno a male.

■ O.k., va bene.

Completate.

infinito	imperativo	infinito	imperativo
sentire	_____!	mangiare	_____ quello che vuoi!
bere	_____ quello che vuoi!	sentirsi	_____ a casa tua!

 6

ESERCIZIO

> «Ho lasciato qualcosa in frigorifero, quindi mangia quello che vuoi.»

Secondo il modello completate con i seguenti verbi le frasi qui sotto.

mettere   telefonare   bere   dormire

guardare   scrivere   ascoltare   prendere

a. In casa ci sono tre camere da letto, quindi _____ dove vuoi.

b. Ti lascio il mio indirizzo, quindi _____ quando vuoi.

c. Ti lascio il mio numero di telefono, quindi _____ quando vuoi.

d. Nella mia stanza ci sono il video e 50 videocassette, quindi _____ quelle che vuoi.

e. I miei dischi sono lì, quindi _____ quelli che vuoi.

f. In garage ci sono tre biciclette, quindi _____ quella che vuoi.

g. I miei pullover sono in quel cassetto, quindi _____ quelli che vuoi.

h. In frigorifero ci sono vino, birra e Coca Cola, quindi _____ quello che vuoi.

(7) **ESERCIZIO**

> Ho lasciato *degli yogurt* in frigorifero.
> Mangia**li**, altrimenti vanno a male.

Sostituite adesso *yogurt* con i seguenti piatti.

a. pollo   **f.** fegato
b. uova   **g.** bistecche
c. calamari   **h.** pesce
d. seppie   **i.** gamberi
e. verdura   **j.** cozze

(8) **ESERCIZIO**

Completate i messaggi con i verbi *accendere*, *bere*, *mettere* e *portare*.

a. Ho lasciato il riscaldamento spento. _____, altrimenti poi fa freddo.

b. Ho lasciato le sedie sul balcone. _____ dentro, altrimenti si rovinano.

c. Ho lasciato del latte in frigorifero. _____, altrimenti va a male.

d. Ho lasciato la carne in cucina. _____ in frigo, altrimenti va a male.

e. Ho lasciato i cioccolatini sul tavolino. _____ via, altrimenti il bambino li mangia.

f. Ho lasciato la bicicletta fuori. _____ in cantina, altrimenti si rovina.

DIALOGO

- Non usare il forno, per carità, perché perde il gas.
- Eh, ma sta' tranquillo, tanto non lo uso.
- Benissimo. Ultima cosa: la finestra in salotto.
  Non aprirla perché è rotta, e poi non si chiude più.
- O.k., non ti preoccupare, Marco!

Completate.

Non aprire la finestra! → Non aprir__!	
Non l'aprire!	Non ___ preoccupare!
Non usare il forno! → Non usar___!	Non preoccupar____!
Non ____ usare!	

ESERCIZIO

Fate il dialogo secondo il modello.

> ○ Non *usare il forno*!
> ☐ Eh, ma sta' tranquillo, tanto non *lo uso*.
> ○ Non *usarlo*, perché *perde il gas*.
> ☐ O.k., non ti preoccupare!

a. usare il forno – perdere il gas

b. suonare il pianoforte – il vicino protestare

c. chiudere a chiave la porta del bagno – dopo non aprirsi più

d. prendere la moto – non funzionare bene

e. aprire la finestra – dopo non chiudersi più

Completate.

> Non usare il forno _____ perde il gas.
>
> Sta' tranquillo, _____ non lo uso.

(11)

ESERCIZIO

Completate le frasi con *perché* o *tanto*.

a. Sono stanchissimo _____ non ho dormito.

b. Puoi venire quando vuoi, _____ sono a casa tutto il pomeriggio.

c. Sono arrabbiato con lui _____ non mi ha invitato.

d. Dai! Partiamo domani, _____ abbiamo tempo.

e. Il giornale puoi tenerlo, _____ l'ho già letto.

f. Devo restare in ufficio fino alle sette _____ devo parlare con il direttore.

(12)

E ADESSO TOCCA A VOI!

Formate delle coppie. Uno di voi lascia l'appartamento all'altro per una settimana e fa le raccomandazioni necessarie all'amico che deve rispondere tranquillizzando o chiedendo informazioni.

CD₃₀ (13)

DIALOGO

● Senti, io purtroppo devo andare a Napoli una settimana e devo viaggiare ancora, quindi non ci vediamo.

■ O.k. Va bene. Ma, quando vado via, che cosa faccio con le chiavi?

● Ah, dalle alla vicina. Va bene?

■ Grazie, eh? Grazie ancora dell'appartamento.

● Eh, figurati!

ESERCIZIO

Ripetete il dialogo secondo il modello.

> ☐ Che cosa faccio con *le chiavi*?
> ○ *Dalle alla vicina.*

a. il libro / professore
b. la radio / mia sorella
c. il televisore / Mario
d. la macchina fotografica / Franco

e. i dischi / Carla
f. la bicicletta / vicino
g. le videocassette / fratello di Massimo
h. la chitarra / portiere

 ESERCIZIO

Inserite i verbi nelle seguenti frasi.

a. Quando attraversi la strada, _____ attenzione alle macchine!

b. _____ tranquilla, mamma, quando arrivo ti telefono subito!

c. _____ pure quello che pensi!

d. _____ pazienza! Prova ancora una volta!

e. Se sei stanco, _____ in vacanza invece di continuare a lavorare!

f. _____ gentile, aiutami a tradurre questa lettera!

(16)   **ESERCIZIO**

Cercate nei dialoghi e nel dettato le seguenti espressioni.
Come direste nella vostra lingua?
Scrivetelo qui sotto.

○ Figurati!   _____

○ Non ti preoccupare!   _____

○ Per carità!   _____

○ Come?!   _____

                                   ESERCIZIO

(17)

Inserite adesso queste espressioni nelle seguenti frasi.

a. ☐ Posso prendere la macchina?   ▽ No, _____ non prenderla, perché perde l'olio!

b. ☐ Tieni sempre basso il volume del televisore!   ▽ _____ , tanto io la televisione non la guardo mai.

c. ☐ Grazie. Sei stato veramente gentilissimo.   ▽ _____ !

d. ☐ Il televisore non funziona più.   ▽ _____ non funziona più?!

(18)   **E ADESSO TOCCA A VOI!**

Avete mai lasciato la vostra casa o il vostro appartamento
a un amico o a un conoscente? Se sì, che esperienze avete
fatto? Lo rifareste ancora? Se no, lo fareste?

Giancarlo ha lasciato l'appartamento al suo amico Massimo.
Ecco il biglietto che Massimo trova quando arriva a casa di Giancarlo.

Benvenuto!

Ti scrivo brevemente quello che non sono riuscito a dirti al telefono.
Dunque, la casa è tutta per te, ti auguro un buon soggiorno a Roma. Noi ci vediamo
fra due settimane. Solo qualche raccomandazione.
Prima di tutto quando esci di casa, tira sempre bene la porta perché è difettosa e
altrimenti resta aperta. Se fai la doccia, attenzione dopo a chiudere bene l'acqua calda
perché il rubinetto perde. Ogni volta che mangi, fammi il piacere di pulire subito tutto,
perché ci sono le formiche e, se lasci in giro qualcosa, mi invadono subito la casa. Se
usi la lavatrice, prima ti consiglio di spegnere lo scaldabagno e viceversa; se sono accesi
tutti e due, la corrente salta facilmente.
La sera ti raccomando di innaffiare sempre le piante. Se non lo fai regolarmente, con il
caldo che fa, si seccano. Come sai già, ho uno stereo nuovo; usalo pure, ma tieni sempre
basso il volume, altrimenti il vicino protesta. Fa' tutte le telefonate che vuoi e, se
qualcuno chiama, rispondi, oppure non ti preoccupare, tanto ho inserito la segreteria
telefonica. È tutto.
Ciao, a presto e buon divertimento a Roma!

Giancarlo

a. Trascrivete gli imperativi presenti nella lettera di Giancarlo.

b. Oltre a questi imperativi Giancarlo usa delle espressioni
per formulare delle richieste o per fare delle raccomandazioni.
Trascrivetele.

(20)   **ESERCIZIO**

Secondo il modello collocate i verbi e metteteli all'imperativo.

> Ho uno stereo nuovo; *usalo* pure!

a. In garage c'è la mia bicicletta; _____

b. C'è della carne in frigorifero; _____

c. Ti lascio la macchina; _____

d. C'è dello spumante in cantina; _____

e. In soggiorno c'è la mia chitarra; _____

f. Le mie cassette sono tutte per te; _____

bere

usare

prendere

mangiare

suonare

ascoltare

(21)   **E ADESSO TOCCA A VOI!**

La prossima settimana andate in vacanza e un amico vi ha chiesto di
poter abitare nel vostro appartamento. In un biglietto scrivetegli le cose
a cui deve fare attenzione.

(22)   **LETTURA**

a. Prima di leggere il testo osservate la foto.
Per chi in particolare può essere d'ostacolo una macchina parcheggiata così sul marciapiede?

b. Quanto fastidio vi danno questi comportamenti? Segnatelo con il seguente punteggio.
(0 = nessun fastidio; 1 = poco fastidio; 2 = abbastanza fastidio; 3 = molto fastidio;
4 = moltissimo fastidio)

gettare rifiuti per terra ( )   fumare nei luoghi pubblici ( )
gridare in pubblico ( )   ascoltare la radio a volume alto ( )
parcheggiare la macchina sul marciapiede ( )   lasciare sporche le toilettes pubbliche ( )
permettere al cane di sporcare la strada ( )   non rispettare la fila ( )

 E ADESSO TOCCA A VOI!

Secondo voi nella vostra città si fa abbastanza o si potrebbe fare di più per i portatori di handicap? Discutetene in piccoli gruppi.

Ci pensi Lei!

 PER INIZIARE

Oggi i rapporti fra datore di lavoro e dipendente, fra superiore e sottoposto non sono più quelli di una volta. Che cosa è cambiato secondo voi? Che cosa trovate giusto? Che cosa rimpiangete? Che cosa migliorereste? Parlatene con uno o più studenti.

ASCOLTO

Il capufficio, prima di andare via, dà alcune istruzioni alla sua segretaria.

a. A che ora ritorna il capufficio? _____

b. Indicate quello che la segretaria deve fare:

tradurre delle lettere	☐
correggere delle lettere	☐
scrivere delle lettere	☐
spedire delle lettere	☐
archiviare degli articoli	☐
fotocopiare degli articoli	☐

c. Che cosa non funziona più? _____

d. Da chi deve andare la segretaria per fare le fotocopie?

_____

e. Che cosa pensa il capufficio dell'offerta del signor Occhipinti?

_____

	spostare	☐		il medico.	☐
f. Il capufficio vuole	fissare	☐	l'appuntamento con	l'avvocato.	☐
	disdire	☐		il dentista.	☐

93

DIALOGO

■ Senta, sul mio tavolo ci sono delle lettere,
le spedisca oggi stesso.
● Va bene.
■ Mi raccomando!
● Sì, non si preoccupi!
■ Bene, e poi un'altra cosa. Ci sono anche degli articoli,
faccia due fotocopie di ognuno.
● D'accordo.

Completate.

infinito	imperativo formale
_____	Scusi!
_____	Scriva!
sentire	_____!
spedire	_____!
fare	_____!
preoccuparsi	Non _____!

(4)

ESERCIZIO

Completate le frasi con i verbi all'imperativo, inserendo anche i pronomi *lo, la, li, le, ne.*

delle lettere – scrivere al computer

Sul mio tavolo ci sono *delle lettere, le scriva* subito *al computer.*

Sul mio tavolo c'è / ci sono …

a. il testo di un telegramma   – spedire
b. il contratto con la Tim   – portare al dott. Arcangeli
c. una mia lettera in inglese   – correggere
d. degli inviti   – spedire uno al signor Ughi
e. un dischetto con il testo
della mia relazione   – stampare
f. la posta   – aprire
g. una lettera   – fare una copia
h. dei documenti   – fotocopiare
i. delle ricevute   – portare al ragioniere

DETTATO

- ■ _____, _____, che la fotocopiatrice non funziona.

- ● Ancora?

- ■ Eh, si è rotta _____ _____. Che faccio, chiamo il tecnico?

- ● Eh ... chiami il tecnico, però il fatto è che ormai è _____, e poi è lenta, non so se vale

  la pena di farla _____ _____ una volta. Forse ___ _____ _____

  una nuova.

- ■ Allora che _____? Lo _____ il tecnico o no?

- ● Sì, ____ _____, però gli dica di portarci una fotocopiatrice _____, _____

  _____ ormai non ci serve più.

- ■ Sì. E per le fotocopie _____ _____?

- ● E per le fotocopie _____ _____ vada dall'architetto qui sopra, dalla _____ Martini,

  e le chieda se ci fa fare le fotocopie, _____ è gentile e ci dice _____ di sì.

(6) ESERCIZIO

Rispondete alle domande secondo il modello facendo attenzione all'intonazione.

> ○ Che faccio, chiamo il tecnico?
> □ Eh ... chiami il tecnico.

Che faccio ...

- **a.** telefono all'agenzia?
- **b.** prenoto una cuccetta?
- **c.** scrivo una lettera?
- **d.** chiamo un taxi?
- **e.** sposto l'appuntamento?
- **f.** faccio una telefonata?
- **g.** domando al direttore?
- **h.** parlo con l'avvocato?
- **i.** preparo il contratto?

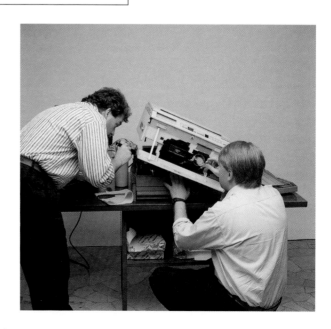

Completate.

> Chiami il tecnico e gli _____ _____ portare una fotocopiatrice nuova.
>
> _____ dalla signora Martini e le chieda _____ ci fa fare le fotocopie.

⑦ ESERCIZIO

Fate il dialogo secondo il modello.

> chiamare il tecnico – dire di portarci una fotocopiatrice nuova
>
> ○ Allora che faccio, *lo* chiamo il tecnico o no?
> □ Sì, lo chiami, però *gli* dica di portarci una fotocopiatrice nuova.

a. avvertire il signor Santi – dire di non preoccuparsi
b. invitare la signora Neri – scrivere di confermare se viene
c. chiamare l'elettricista – dire di venire oggi pomeriggio
d. aiutare la collega – spiegare come funziona il programma
e. chiamare la traduttrice – ricordare di finire presto il lavoro
f. avvertire il ragioniere – raccomandare di non parlare con i colleghi

⑧ ESERCIZIO

Completate con *servire* e con i pronomi necessari.

> Maria, *ti servono* i libri d'inglese?

a. Prendi pure la mia macchina, tanto oggi non _____ .

b. Scusi, signorina, _____ questi fogli?

c. Se _____ qualcosa, venite da me.

d. Mario ha detto che oggi il computer _____ fino alle 5.

e. Marco, se _____ aiuto, telefonami quando vuoi.

f. _____ un consiglio. A chi possiamo chiedere?

g. Prendi le chiavi di Chiara, tanto oggi non _____ .

h. Mario e Paolo hanno detto che per finire quel lavoro _____ ancora due settimane.

Trasformate le frasi secondo i modelli.

Il direttore ha detto alla segretaria:

La segretaria adesso dice:

Telefoni al signor Vitrano e *gli dica di* portarci una fotocopiatrice nuova.

Vada dalla signora Magri e *le chieda se* ci fa fare le fotocopie.

Signor Vitrano, per favore, *ci porti* una fotocopiatrice nuova!

Signora Magri, *ci fa fare* le fotocopie, per favore?

Che cosa ha detto il direttore alla segretaria?

a. Signor Mauri, per favore, spedisca il telegramma!

Vada _____ signor Mauri e _____ .

b. Signor Perotto, possiamo usare il Suo computer?

Telefoni _____ signor Perotto e _____ .

c. Signora Zuccari, prenoti due posti in treno, per favore!

Telefoni _____ signora Zuccari e _____ .

d. Signorina Martelli, ci presta il Suo giornale?

Vada _____ signorina Martelli e _____ .

e. Signor Cardone, ci fa provare la sua stampante?

Telefoni _____ signor Cardone e _____ .

f. Signora Reali, chiami la ditta SCAM, per cortesia!

Vada _____ signora Reali _____ .

(10)

E ADESSO TOCCA A VOI!

a. Che disposizioni prendono queste persone dai loro superiori
o dai loro datori di lavoro?
Formate dei gruppi e con l'aiuto di un vocabolario
o dell'insegnante fate una lista delle loro mansioni.

Giorgio
assistente universitario

Anna
segretaria in una scuola

Eva
colf

Enrico
apprendista meccanico

Giorgio: _____

_____

Anna: _____

_____

Eva: _____

_____

Enrico: _____

_____

b. Immaginate di essere il datore di lavoro o il superiore di una di
queste persone. Lasciatele un biglietto in cui le comunicate i lavori
che deve svolgere.

DIALOGO

■ Va bene, allora a questo punto io vado via.
● Sì. No, guardi, scusi, un attimo ancora … ha telefonato il signor
Occhipinti per quel software.
■ Ho capito. No, guardi, non ci interessa … Facciamo così: gli scriviamo
una lettera. Anzi, la scriva Lei perché io adesso non ho tempo. Trovi
Lei le parole. Ci pensi Lei. Va bene?
● Va bene.

⑫ # ESERCIZIO

Con le seguenti espressioni formate delle frasi secondo il modello.

> Facciamo così: scriviamo una lettera. Anzi, la scriva Lei perché io
> adesso non ho tempo. Ci pensi Lei.

Facciamo così …

a. guardare la posta
b. correggere il testo
c. controllare la relazione

d. rivedere il discorso
e. chiamare il dottor Ramozzi
f. fare le fotocopie

g. prenotare i posti in treno
h. spedire gli inviti

ESERCIZIO

Leggete ancora una volta i dialoghi e il dettato e cercate fra quelle indicate qui sotto...

Il fatto è che ...

Non so se vale la pena ...

Ci pensi Lei!

Facciamo così:

Mi raccomando!

Guardi che ...

Che faccio?

D'accordo!

Non si preoccupi!

a. le espressioni che il capufficio usa per ...

○ dire di non dimenticare: _____

○ constatare un fatto: _____

○ esprimere perplessità: _____

○ annunciare che sta per fare qualcosa: _____

○ delegare una decisione: _____

b. le espressioni che la segretaria usa per ...

○ tranquillizzare il capufficio: _____

○ dire di sì: _____

○ informarlo su qualcosa che lui non sa: _____

○ invitare il capufficio a darle una disposizione: _____

(14) **ESERCIZIO**

Inserite adesso queste espressioni nelle seguenti frasi.

a. ○ Buongiorno, signora, mi dica!

▽ Mi dia una mozzarella, ma fresca, _____!

b. □ Hai voglia di andare al cinema stasera?

▽ Ma sai, _____ sono appena ritornato da Milano,

e poi è già un po' tardi. _____ di uscire stasera,

forse è meglio andarci domani.

c. ○ Senti, sono ancora in ufficio e devo lavorare fino alle sei. Prepari

tu la cena stasera?

□ Veramente non ho tanta voglia di cucinare. Senti, _____

ci incontriamo al bar Mignon, prendiamo un aperitivo e poi

andiamo a mangiare una pizza.

○ _____

d. ▽ Signorina, _____ quelle lettere le deve scrivere prima

delle 11.00!

□ _____, dottore, le scrivo subito!

e. ○ Allora, dottore, _____, prenoto un tavolo al «Leon d'Oro» o

alla «Capannina»?

▽ Mah, sono tutti e due dei buoni ristoranti. Non saprei, _____,

per me è lo stesso.

(15) **E ADESSO TOCCA A VOI!**

Uno di voi è il direttore di un ufficio e l'altro un suo dipendente. Il
direttore dice al dipendente quello che deve fare. Purtroppo il direttore non
sa che in ufficio ci sono molte cose che non funzionano …

LETTURA

Ecco la lettera che la segretaria scrive al signor Occhipinti.

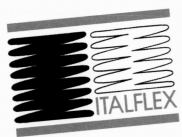

38100 TRENTO - Via del Commercio, 39 - ☎ 0461/820108 - Partita IVA n. 01107440222

Spett.le
Dolomiti Computer
Service S.r.l.
Via Latemar 5
38037 PREDAZZO (TN)
- sig. Federico Occhipinti -

Trento, 10/03/2003

Ogg.: Offerta programma gestione archivi
Rif.: Vs. scritto del 28/02/2003

Egregio signor Occhipinti,

abbiamo esaminato con attenzione la Sua proposta circa la vendita di un programma per la gestione del nostro archivio. La ringraziamo vivamente per l'interesse dimostrato, ma siamo dolenti di informarLa che abbiamo già provveduto a risolvere questo problema. Le assicuriamo, ad ogni modo, che siamo sempre interessati ad una Sua futura collaborazione con la nostra ditta.

RingraziandoLa comunque di averci contattato, Le porgiamo i nostri più distinti saluti.

p. il Direttore

A. Giuliani

(17)   <u>**ESERCIZIO**</u>

Scrivete qui sotto i verbi della lettera che hanno il pronome *Le* e quelli che reggono il pronome *La*.

Le	La
_____	_____
_____	_____

(18)   <u>**ESERCIZIO**</u>

La segretaria ha scritto un'altra lettera ad una società:

> Trento, 7 marzo 2003
>
> Ogg.: Offerta programma gestione archivi
> Rif.: Vs. scritto del 14/02/2003
>
> Spett. Grassetti s.r.l.,
>
>   abbiamo il piacere di informarVi che siamo interessati all'acquisto del Vs. programma per la gestione archivi. A tale proposito Vi assicuriamo fin d'ora la nostra disponibilità a metterci in contatto con Voi nei prossimi giorni.
>
> In attesa di rivederci al più presto presso i nostri uffici, Vi ringraziamo e Vi porgiamo i nostri più distinti saluti.
>
>   p. il Direttore
>
>   A. Giuliani

Riscrivete la lettera iniziando con *Egregio signor Grassetti*.

Ci vediamo domani

⇨ 4

1. Completate le frasi con il *passato prossimo* dei verbi tra parentesi.

a. Questa mattina io (svegliarsi) _____ tardi.

b. Marco (lavarsi) _____ e poi (uscire) _____.

c. Luigi (farsi) _____ male giocando a tennis.

d. Marco e Maria (dire) _____ che (annoiarsi) _____ a teatro.

e. Quest'estate io (riposarsi) _____ veramente.

f. Sono sicuro che tu (alzarsi) _____ tardi anche stamattina.

g. Cosa (voi - fare) _____ quest'estate? (Incontrarsi) _____ o non (vedersi) _____ per niente?

h. Maria (mettersi) _____ in giardino e (prendere) _____ il sole tutto il pomeriggio.

i. Signor Angelini, (divertirsi) _____ ieri sera alla festa?

j. Signora Marzotto, (annoiarsi) _____ ieri sera?

2. Michele racconta

Completate il suo racconto usando il *passato prossimo* dei seguenti verbi.

andare – arrivare – aspettare – incontrarsi – lavorare – mangiare –
prendere – ritornare – svegliarsi – telefonare – uscire – vestirsi

Questa mattina (io) _____ tardi. _____

in fretta, _____ un caffè e poi _____.

Alla fermata _____ l'autobus per venti minuti.

Finalmente l'autobus _____ e _____ al

lavoro. _____ fino alle cinque, poi _____

a casa. Alle sei mi _____ Marco per invitarmi a vedere

un film. Così (noi) _____ davanti al cinema. Dopo il

film Marco ed io _____ qualcosa in una pizzeria.

3. Completate le frasi con il _passato prossimo_ dei seguenti verbi.

> addormentarsi - alzarsi - ammalarsi - annoiarsi - sentirsi - iscriversi

a. Stasera alla festa di Paolo _____ tutti.

b. A che ora voi _____ stamattina?

c. Ieri sera sono andato a letto alle dieci e _____ subito.

d. Dopo un bicchiere di vino noi _____ proprio bene!

e. Elena non è partita perché _____.

f. Riccardo e Luisa _____ a un corso di tango.

⇨ 5

4. Rispondete alle domande secondo uno dei due modelli.

> Hai comprato i biglietti?
> No, perché? Dovevo comprarli? / Li dovevo comprare?

a. Siete andati in banca?

No, perché? _____

b. Marco ha chiamato Paola?

No, perché? _____

c. Gli studenti hanno fatto gli esercizi?

No, perché? _____

d. Signora, ha prenotato la camera?

No, perché? _____

e. Marcello, hai riparato la macchina?

No, perché? _____

f. Patrizia ha preparato il pranzo?

No, perché? _____

g. Avete messo in ordine le diapositive?

No, perché? _____

⇨ 8

5. Formate le frasi secondo il modello.

Maria – ragazza – allegra – classe
Maria è la ragazza più allegra della classe.

a. Graziella e Rita – ragazze – simpatiche –
gruppo
b. professor Renzi – insegnante – giovane – liceo
c. signor Banfi – collega – anziano – ufficio
d. locanda dell'Orso – ristorante – caro – città
e. fratelli De Pretis – avvocati – bravi – provincia
f. Piazza Navona – piazza – bella – Roma
g. S. Pietro – chiesa – grande – mondo
h. Mario e Roberto – alunni – studiosi – classe

⇨ 11

6. Completate la tabella.

pronomi indiretti		
	tonici	atoni
io	a me	mi
tu	_____	_____
lui	a lui	_____
lei	_____	le
Lei	a Lei	_____
noi	a noi	_____
voi	_____	vi
loro	a loro	_____

7. Completate con i pronomi indiretti atoni.

a. Ho pensato a te perché so che _____ piacciono i romanzi polizieschi.

b. L'ho proposto a Luigi perché so che _____ interessano le vacanze alternative.

c. Non l'ho raccontato a Raffaella perché so che _____ dispiace.

d. Non l'ho detto a voi perché so che non _____ interessa.

e. Ho pensato a loro perché so che _____ piace il mare.

f. Ho telefonato a Lei perché so che _____ interessa la conferenza.

8. Inserite i pronomi indiretti opportuni.

a. ▪ Hai chiesto a Paolo e a Maria se vogliono venire a cena domani?

    ● No, ancora non _____ ho telefonato.

b. ▪ Sapete se Maria è tornata dall'Inghilterra?

    ● No, ancora non _____ ha telefonato.

c. ▪ Chi ha telefonato?

    ● Il signor Dini. Dice che _____ dispiace, ma non può venire.

d. ▪ Ha parlato con il dottor Santi?

    ● No, ma _____ ho lasciato un messaggio in ufficio.

e. ▪ Venite al cinema con noi stasera?

    ● _____ dispiace, ma stasera non possiamo. Abbiamo un impegno.

f. ▪ Ha telefonato al signor Rossetti?

    ● Sì, _____ ho telefonato e _____ ho dato un appuntamento per lunedì mattina.

g. ▪ Hai visto la partita ieri sera?

    ● No, guarda, il calcio proprio non _____ interessa.

h. ▪ Perché non ci hai telefonato?

    ● Sì che _____ ho telefonato, ma voi non eravate a casa.

⇨ 13

9. L'albero genealogico

Rispondete alle domande:

a. Quanti cugini ha Michela CARTA?

_____

b. Cosa è Anna BO per Carlo CARTA?

_____

c. Quante zie ha Agnese GRECO?

_____

d. Cos'è Marta CARTA per Mario RENZI?

_____

e. Cos'è Antonia NASSI per Marta CARTA?

_____

f. Cos'è Anna BO per Antonia NASSI?

_____

10. Cruciverba

Orizzontali:
  2. Lo è Mario per Matteo.
  3. Lo è Mario per Alberto.
  6. Michela lo è per Sandra.
  7. Alfredo lo è per Agnese.
  9. Lo sono Alfredo e Marta.
 12. Lo è Alberto per Antonia.
 13. Lo è Marta per Agnese.
 14. Lo è Agnese per Renato
       e anche per Alberto.

Verticali:
  1. Lo è Carlo per Alberto.
  4. Lo è Anna per Antonia.
  5. Lo è Sandra per Agnese.
  6. Lo sono Matteo e Antonia
       per Angela.
  8. Lo è Marta per Ugo.
 10. Lo sono Alberto e Anna
       per Agnese.
 11. Lo è Ugo per Marta.

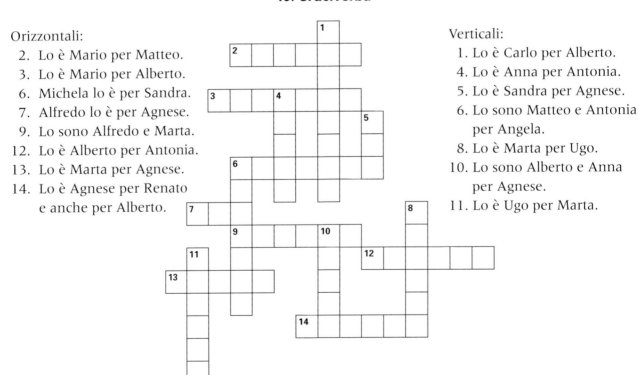

11. Guardate l'albero genealogico della famiglia Carta e completate il testo con le parole mancanti.

Alberto Carta parla della sua famiglia:

Mi chiamo Alberto Carta, ho 56 anni e lavoro in una banca qui a

Piacenza. I miei _____ si chiamano Matteo e Antonia e adesso

abitano a casa nostra perché sono molto anziani. Ho anche un _____

più grande, Carlo, e una _____ più piccola, Erminia, tutti e due sposati.

Erminia e suo _____ abitano a Bologna perché Mario, mio _____,

ha trovato lavoro lì. Erminia e Mario hanno un _____ che si è sposato

da poco. La loro _____ si chiama Gina. Carlo e mia _____ Angela

hanno tre _____, quindi io in tutto ho quattro _____. Anna ed io ci

siamo sposati trenta anni fa e dopo due anni abbiamo avuto una

_____ che si chiama Marta. Anche lei è sposata. Suo _____ si

chiama Ugo ed io vado molto d'accordo con lui perché, come me, si

interessa di sport e la domenica guardiamo insieme la partita alla TV. Ugo

e Marta due anni fa hanno avuto una _____, quindi Anna ed io

adesso siamo _____. Agnese, mia _____, è molto carina: ha i capelli

castani e gli occhi verdi. Quando mia _____ e mio _____ vengono

a trovarci con Agnese, è sempre una grande gioia perché la bambina

adesso comincia a parlare e a voler giocare con tutti.

12. Come sarebbe la lettera di pagina 15 se scritta da Beatrice?

Cara Signora Mocchetti,
La ringrazio tanto dei begli orecchini che ha voluto regalare
a mia figlia Alessia e ...

14

13. Completate lo schema.

un	bel	regalo	due	_____	regali
un	_____	albergo	due	begli	alberghi
un	bello	scialle	due	_____	scialli
una	_____	bambina	due	belle	bambine
una	_____	automobile	due	_____	automobili

14. Al mercato delle pulci

Al mercato delle pulci Rita e Alberto vedono tante belle cose.
Fate dei dialoghi secondo il modello.

Guarda che bei vestiti!   Sì, sono veramente belli!

scarpe	fiori	bottiglia	stivali
vaso	bicchieri	orecchini	piatti
quadro	orologio	accendino	tazza

⇨ 20

15. Qual è la reazione esatta? Unite le frasi.

a. Hai voglia di venire alla festa?

b. Devi andarci per forza?

c. Per il biglietto quanto ti devo?

d. Quando ci vediamo?

e. Ti ringrazio tantissimo.

f. Non posso venire, ho un impegno.

1. Peccato!

2. Niente. Lascia stare.

3. Figurati!

4. Certo, però posso solo più tardi.

5. Purtroppo sì.

6. Un quarto d'ora prima dello spettacolo.

⇨ 21

16. Formate un dialogo.

Senti, Mario, sabato sera faccio una festa nel mio nuovo appartamento. Vieni anche tu? (1)

Allora sì. D'accordo. Ci vediamo verso le dieci o le undici. (a)

Ma ci potete andare un altro giorno, no? Dai, facciamo una bella festa. Ci sono tutti gli amici. (2)

Ma non è troppo tardi? (b)

Ma a che ora finisce lo spettacolo? (3)

Mah, non so, verso le dieci. (c)

E che problema c'è allora? Venite dopo il teatro. (4)

Sabato? Eh, purtroppo non posso, sabato vado a teatro con Giuliana. (d)

Ma no! La festa va avanti tutta la notte! (5)

Un altro giorno non posso. Sabato è l'ultima volta che c'è lo spettacolo. (e)

Grammatica

1. L'imperfetto di *volere* per esprimere un desiderio / un'intenzione

L'imperfetto di *volere* viene spesso usato in italiano per esprimere un desiderio o un'intenzione.

Volevo invitarti a teatro.
(Sarei contento di / Vorrei invitarti a teatro).

Volevo andare a teatro con Riccardo.
(Avevo l'intenzione di andare a teatro con Riccardo).

2. Verbi riflessivi al passato prossimo

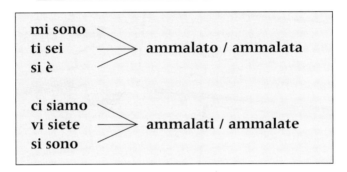

3. Superlativo relativo

Il superlativo relativo indica che una qualità è posseduta al massimo superlativo relativo di maggioranza) o al minimo grado (superlativo relativo di minoranza) relativamente a un determinato gruppo di persone o cose. Viene formato dall'*articolo determinativo + sostantivo + più* (o *meno*) + *l'aggettivo*.

Trastevere è **il quartiere più romano** della Capitale.

Quello è **il supermercato meno caro** della città.

4. Pronomi indiretti atoni e tonici

I pronomi indiretti sostituiscono il complemento introdotto dalla preposizione *a* (complemento indiretto).

Scrivo *a* Franco.   **Gli** scrivo (atono).   Scrivo **a lui** (tonico).

soggetto		complemento indiretto		
	forme atone		**forme toniche**	
io	**mi**	Quando *mi* scrivi?	**a me**	Scrivi *a me*, non a mia madre!
tu	**ti**	*Ti* scrivo domani.	**a te**	Domani scrivo anche *a te*.
lui	**gli**	Ho telefonato a Gianni e *gli* ho detto di venire.	**a lui**	Ho telefonato a Gianni e ho detto anche *a lui* di venire.
lei	**le**	Non ho trovato Maria e *le* ho lasciato un messaggio.	**a lei**	Ho lasciato un messaggio *a lei* personalmente.
Lei	**Le**	*Le* mando una foto di mia nipote Alessia.	**a Lei**	Mando un caro saluto *a Lei* e alla Sua famiglia.
noi	**ci**	*Ci* ha dato il numero del cellulare.	**a noi**	Ha dato solo *a noi* il numero del cellulare.
voi	**vi**	*Vi* rispondo appena posso.	**a voi**	*A voi* non rispondo affatto.
loro	**gli**	*Gli* ho scritto una cartolina.	**a loro**	*A loro* ho scritto una cartolina, a voi una lettera.
	loro	Ho scritto *loro* una cartolina.		

5. Pronomi nella forma di cortesia

a. Signor Foschi,

Signora Monti,   **La** ringrazio tanto per il regalo.   (ringraziare una persona)

b. Signor Foschi,

Signora Monti,   **Le** mando un caro saluto.   (mandare un saluto a una persona)

113

6. Posizione dei pronomi atoni e tonici

I pronomi atoni in generale, e quindi anche i pronomi indiretti atoni (ad eccezione di *loro*), precedono il verbo coniugato. Vengono però uniti all'-infinito che perde la -*e* finale:

Ho incontrato Marisa e **le** ho promesso di mandar**le** le fotografie.
Ho parlato con Piero e Marisa e ho detto **loro** di non preoccuparsi.

In presenza di un verbo servile come *potere, dovere, volere* e *sapere* i pronomi indiretti atoni (ad eccezione di *loro*) possono precedere il verbo servile oppure essere uniti all'infinito.

Ti volevo invitare a teatro.	**Volevo** invitar**ti** a teatro.
Le posso telefonare stasera.	**Posso** telefonar**Le** stasera.

Voglio scriver(e)* loro una lettera.

* Spesso anche in questo caso l'infinito perde la -*e* finale.

7. Bello

L'aggettivo *bello,* seguito da un sostantivo, si declina come l'articolo determinativo.

il	regalo	→	un	**bel** regalo	i	regali	→	dei **bei** regali
l'	orologio	→	un	**bell'**orologio	gli orologi		→	dei **begli** orologi
lo	scialle	→	un	**bello** scialle	le	piante	→	delle **belle** piante
la	pianta	→	una	**bella** pianta				

Che taglia porta?

⇨ 4

1. Completate secondo il modello.

a. il vestito   *quel vestito*   **d.** i pantaloni   _____

b. la giacca   _____   **e.** gli shorts   _____

c. l'impermeabile   _____   **f.** le scarpe   _____

2. Inserite la forma opportuna di *quello* trasformando il singolare in plurale e viceversa.

a. _____ gonna gialla   _____

b. _____ fazzoletti bianchi   _____

c. _____ sciarpa verde   _____

d. _____ impermeabili beige   _____

e. _____ cappello nero   _____

f. _____ pullover grigi   _____

g. _____ maglietta rosa   _____

h. _____ cinture nere   _____

⇨ 5

3. Completate con *quello* (aggettivo o pronome).

a. ▨ Vorrei vedere _____ impermeabile in vetrina.

    ● Quale? _____ verde?

    ▨ No, _____ grigio.

b. ▨ _____ gonna blu c'è nella taglia 42?

    ● Quale? _____ di lana o _____ di velluto?

c. ▨ _____ camicette sono di seta?

    ● _____ gialla sì, _____ verde no.

d. ▨ Mi piace molto _____ cappotto rosso. C'è la mia taglia?

    ● Non lo so. Adesso guardo se c'è fra _____ cappotti.

4. Indovinello

Per andare ad una festa di carnevale Aldo Bianchi, Bruno Rossi, Carlo Verdi e Dario Viola indossano dei costumi che ricordano i loro cognomi. Prima di andare alla festa però hanno un'idea: ognuno dà agli altri tre dei quattro capi di abbigliamento che indossa. Ecco cosa dicono.

Aldo Bianchi: *Io ho la giacca di Dario, i pantaloni di Bruno e il mio cappello.*

Bruno Rossi: *Io ho il cappello di Carlo, le scarpe di Aldo e la mia giacca.*

Carlo Verdi: *Io ho le scarpe di Bruno, la giacca di Aldo e i miei pantaloni.*

Dario Viola: *Ed io come sono vestito?*

SCARPE

CAPPELLO

Come sono vestiti i quattro amici?

Aldo ha _____

Bruno ha _____

Carlo ha _____

Dario ha _____

5. Completate le domande con *quello* e rispondete secondo il modello.

Quella camera è rumorosa?   – No, è *silenziosa*.

a. _____ albergo è grande?   _____

b. _____ pensione è tranquilla?   _____

c. _____ museo è vicino?   _____

d. _____ negozi sono aperti?   _____

e. _____ posto è lontano?   _____

f. _____ liquore è amaro?   _____

g. _____ giacca è nuova?   _____

h. _____ aperitivi sono alcolici?   _____

6. Completate con i pronomi _lo_, _la_, _li_, _le_.

a. Questa camicia mi piace molto. Posso

provar_____?

b. Se i pantaloni non vanno bene, posso

cambiar_____?

c. Il cappotto è un po' lungo, ma non è un

problema, possiamo accorciar_____.

d. Ecco le gonne, signora. Se vuole provar_____ ,

lì c'è il camerino.

e. Se le maniche sono troppo lunghe, possiamo

accorciar_____.

f. Se i bottoni non Le piacciono, possiamo

cambiar_____.

g. Signorina, la giacca è un po' larga. Potete

stringer_____?

h. Se a Suo marito il pullover non piace,

possiamo cambiar_____.

7. Quali parole mancano?

a. Le maniche sono un po' lunghe.

Si possono _____?

b. La giacca è troppo _____.

Si può stringere?

c. Questo grigio non mi piace.

Non c'è un altro _____?

d. La giacca è un po' stretta. Posso provare

la _____ più grande?

e. La polo la preferisce a maniche lunghe o

_____?

f. La gonna è un po' stretta. Non si può

_____ di due o tre centimetri?

8. Una signora, passando davanti a un negozio di abbigliamento, vede in vetrina una bella gonna. Entra e si rivolge alla commessa. Completate il dialogo.

▨ Buongiorno. Desidera?

● _____ .

▨ Bene. _____ ?

● La 38.

▨ Un momento ... Ecco.

● _____ provarla?

▨ Certo.

● _____ i camerini?

▨ Qui a destra. Si accomodi.

● _____ .

▨ Come _____ la gonna?

● Veramente _____ .

▨ Sì, ma per questo non c'è problema, la possiamo stringere noi.

● Va bene. E _____ ?

▨ 130 euro.

● Ah!

▨ Però guardi, la qualità è veramente ottima.

● Sì, la qualità _____ , ma il prezzo _____ .

9. Cruciverba

orizzontali

1. Quelle da donna possono avere il tacco alto.
3. Lo portano i cow-boys.
7. Sono di pelle o di lana, per le mani fredde.
8. Si porta sopra la giacca.
9. La commessa la domanda al cliente.
10. Tipico quello di Humphrey Bogart.
11. Quella dei camerieri è bianca.
12. Di seta o di lana la portano tutti i tenori.

verticali

2. È di lana e si porta sopra la camicia.
3. Si portano ai piedi.
4. Sono corti per giocare a tennis.
5. Sono due nella camicia.
6. In Scozia la portano anche gli uomini.
8. Senza questa non è possibile portare la cravatta.

⇨ 14

10. Fate delle domande secondo il modello.

> La taglia è grande. Non c'è una taglia più piccola?

a. Il colore è un po' chiaro. _____

b. La borsa è troppo cara. _____

c. Il modello è troppo elegante. _____

d. Il pullover è un po' stretto. _____

e. La gonna è troppo corta. _____

f. La camera è troppo rumorosa. _____

g. Il bar è lontano. _____

11. Formate un dialogo.

Di pelle?
Le piace questa marrone?

Si, ma guardi, è bella, e poi è di ottima qualità.

Le occorre qualcos'altro?

55 euro.

Ma sì, va bene, la prendo.

Ah, però! È un po' cara!

Sì.   Sì. Quanto viene?

Sì, vorrei vedere ancora una cintura per questi pantaloni.

⇨ 19

12. Trovate gli 8 diminutivi e scrivete da quale parola derivano, come nell'esempio.

> scarpetta – cucina – casetta – pizzetta – scontrino – bambino – panino – fazzoletto – biglietto – bruschetta – telefonino – cappottino – cappellino – alberghetto – giardino – mattina

a. _scarpetta_   da   _scarpa_   **e.** _____   da   _____

b. _____   da   _____   **f.** _____   da   _____

c. _____   da   _____   **g.** _____   da   _____

d. _____   da   _____   **h.** _____   da   _____

13. Formate i diminutivi delle seguenti parole con i suffissi _-ino, -ina, -ini, -ine_.

a. bicchiere _____   **f.** tazza _____

b. vestiti _____   **g.** strade _____

c. teatro _____   **h.** tavolo _____

d. ragazze _____   **i.** letto _____

e. minestra _____   **j.** gatti _____

14. Formate i diminutivi delle seguenti parole con i suffissi _-etto, -etta, -etti, -ette_.

a. palazzo _____   **f.** piazza _____

b. isole _____   **g.** gruppi _____

c. pizze _____   **h.** stivali _____

d. spiaggia _____   **i.** cena _____

e. viaggio _____   **j.** sciarpa _____

Grammatica

1. Aggettivi indicanti il colore

il pullover	**bianco**		i pullover	**bianchi**
la gonna	**nera**		le gonne	**nere**
la camicia	**celeste**		le camicie	**celesti**
il cappello	**verde**		i cappelli	**verdi**
il cappotto	**blu**		i cappotti	**blu**
la giacca	**rosa**		le giacche	**rosa**
il cappotto	**antracite**		i cappotti	**antracite**
la gonna	**grigio scuro**		le gonne	**grigio scuro**

▷ Gli aggettivi che indicano un colore e che terminano in *-o* ed *-e* si comportano come gli altri aggettivi.

▷ Alcuni aggettivi indicanti colore sono *invariabili*, per es.:
  – *blu*, *beige*, *bordeaux* (anche *bordò*), *turchese*;
  – *lilla*, *rosa*, *viola* ed altri sostantivi usati in funzione di aggettivo (il lilla, la rosa, la viola).

▷ *Marrone* è in effetti un sostantivo che viene usato come aggettivo; dovrebbe quindi essere invariabile. Tuttavia nella lingua parlata si usa spesso anche la forma plurale *marroni*.

▷ Gli aggettivi usati in coppia con *chiaro* o *scuro*, per indicare gradazioni di colore, sono *invariabili*.

2. *Questo* e *quello*

Questo indica una persona o una cosa vicina a chi parla.
Questa vicinanza può riguardare lo spazio materiale, ma anche il tempo.

Mia madre mi ha comprato **questo** pullover.

Quest'anno andiamo in vacanza in montagna.

Questo e *questa* al singolare vengono apostrofati se seguiti da un sostantivo che inizia per vocale.

Quello – a differenza di *questo* – indica una persona o una cosa lontana da chi parla.

Se *quello* accompagna un sostantivo ha la funzione di aggettivo e, per quanto riguarda le desinenze, si comporta come l'articolo determinativo.

il que**l**	pullover		i que**i**	pullover
lo quel**lo**	scialle		gli que**gli**	scialli
l' quell'	impermeabile		gli que**gli**	impermeabili
la quel**la**	giacca		le quel**le**	giacche
l' quell'	amica		le quel**le**	amiche

Se *quello* è usato come pronome (se sostituisce cioè un sostantivo) mantiene inalterata la sua forma e concorda solo nel genere e nel numero con il sostantivo a cui si riferisce.

– *Questi* pantaloni non mi piacciono. Vorrei vedere **quelli** verdi.

– Vedi *quell'*albergo là? **Quello** è il Danieli.

– Ti piace *quel* pullover? – No, **quello** non mi piace.

– Come Le sembra *quella* gonna? – **Quella** mi sembra troppo sportiva.

– Ti piacciono *quelle* scarpe? – Sì, **quelle** mi piacciono.

3. *Che* (aggettivo interrogativo)

Il **che** seguito da un sostantivo serve a esprimere, nelle domande, qualità o quantità relativamente al nome a cui si riferiscono.

Che taglia ha?

Di **che** colore è la giacca?

A **che** ora è la colazione?

Che autobus devo prendere?

4. *Quale* (aggettivo / pronome interrogativo)

Quale (plurale: **quali**) può avere la funzione di aggettivo oppure di pronome.
Al singolare *quale* davanti al verbo *essere* prende la forma **qual**, senza
apostrofo.

In funzione di aggettivo:

Quale giacca vuole provare?
Questa o quella?
Quali pantaloni vuole prendere?
Questi o quelli?

In funzione di pronome:

Ecco due giacche.
Quale vuole provare?
Qui abbiamo i pantaloni.
Quali preferisce?
Qual è il Suo nome?
Qual è la macchina di Piero?

5. Pronomi diretti combinati con *avere*

Quando, in una risposta, il verbo *avere*, nel significato di "possedere", è
preceduto dai pronomi diretti *lo, la, li* e *le*, questi sono a loro volta preceduti
dalla particella *ci* che cambia in *-e* la vocale. Il significato di *ci* è quello
locativo di "qui".

Confrontate:

Ha *lo stesso modello* in blu?   Sì, **ce l'ho**.
Ha *una taglia* più grande?   No, non **ce l'ho**.
Ha *dei colori* più vivaci?   No, non **ce li ho**.
Ha *delle tinte* meno scure?   Sì, **ce le ho**.

e le seguenti frasi in cui *avere* è maggiormente accentuato:

Lo stesso modello in blu **ce l'ha**?
Una taglia più grande **ce l'ha**?
Dei colori più vivaci **ce li ha**?
Delle tinte più scure **ce le ha**?

6. *Sia ... che / sia ... sia*

Sia ... che e **sia ... sia** sono delle congiunzioni correlative che uniscono due parole o frasi mettendole in reciproca corrispondenza. Significano ... *e anche.*

Prendo **sia** la gonna **che** i pantaloni.

Porto **sia** la taglia 42 **sia** la 44.

Una congiunzione correlativa è anche **né ... né** e significa *non ... e neanche.*

Non prendo **né** la gonna **né** i pantaloni.

7. Alterazione del sostantivo: suffissi diminutivi e vezzeggiativi

Con l'aggiunta del suffisso **-ino** una parola assume la sfumatura di «piccolo, giovane, corto» (suffisso diminutivo, che indica cioè una riduzione quantitativa del significato della parola base).

abito	→	abit**ino** (plurale: abit**ini**)
ragazza	→	ragazz**ina** (plurale: ragazz**ine**)

Con l'aggiunta del suffisso **-etto** una parola assume la sfumatura di «piacevole, carino» e anche «piccolo» (suffisso vezzeggiativo, che porta cioè la parola base in un ambito affettuoso).

scarpa	→	scarp**etta** (plurale: scarp**ette**)
gruppo	→	grupp**etto** (plurale: grupp**etti**)

Hai portato tutto?

⇨ 4

1. Scrivete le domande e le risposte usando *qualcuno, nessuno, già* e *non … ancora*.

a. ▪ _____?

  ● No, non ha ancora incontrato nessuno.

b. ▪ Avete già visto qualcuno?

  ● No, _____.

c. ▪ _____?

  ● No, non hanno ancora conosciuto

  nessuno.

d. ▪ Hai già chiamato qualcuno?

  ● No, _____.

e. ▪ _____?

  ● No, non ho ancora invitato nessuno.

f. ▪ Avete già aiutato qualcuno?

  ● No, _____.

2. *Qualcuno* o *nessuno*?

  a. Non voglio vedere _____.

  b. Paolo, ti ha telefonato _____, ma non ha detto il nome.

  c. _____ ha certamente visto tutto.

  d. Questo è un problema mio. Non mi può aiutare _____.

  e. Qui non mi conosce _____.

  f. Mario è veramente una persona speciale. Non c'è _____ come lui.

  g. C'è _____ che sa se c'è una farmacia aperta qui vicino?

  h. È un segreto. Non sa niente _____.

  i. Sono sicuro che _____ ti può aiutare.

  j. Tu mi ricordi _____ che ho conosciuto molti anni fa.

3. Completate con *già* o *ancora*?

a. Non ho _____ finito quel lavoro.

b. Dio mio! Sono _____ le sei!

c. Non so _____ cosa faccio quest'estate.

d. Hai _____ visto questo film?

e. Il film non è _____ cominciato.

f. Sei _____ stato in America?

⇨ 6

4. Oggi Paola ha invitato a cena tre amici. Ha cominciato ad apparecchiare, ma sua madre le ha telefonato. Adesso vuole continuare. Cosa manca ancora sul tavolo?

Manca _____

Mancano _____

⇨ 8

5. Rispondete alle domande secondo il modello.

> – Quando hai visto quel film?   – *L'ho visto* giovedì.

a. Dove hai messo le chiavi?

_____ nel cassetto.

b. Quando hai preso il treno?

_____ ieri sera.

c. Quando hai riparato la bicicletta?

_____ stamattina.

d. Dove hai visto quella commedia?

_____ al teatro

Argentina.

e. Chi ha scritto questa lettera?

_____ la segretaria.

f. Dove hai comprato quegli stivali?

_____ a Milano.

g. Dove hai parcheggiato la macchina?

_____ davanti

all'edicola.

h. Dove avete conosciuto Marco e Giuseppe?

_____ a casa di

Stefano.

i. Chi ha preso la macchina?

_____ il dottor

Lorenzi.

**6. Completate le domande con i verbi qui sotto.
Scrivete poi le risposte secondo il modello.**

apparecchiare – aprire – comprare – fare – preparare – riparare – scrivere

a. Gianni, _____ il vino?

_____

b. Signorina, _____ le lettere?

_____

c. Luisa, _____ la cena?

_____

d. Giorgio, _____ le bottiglie?

_____

e. Ragazzi, _____ la tavola?

_____

f. Piero, _____ la macchina?

_____

g. Ragazzi, _____ i compiti?

_____

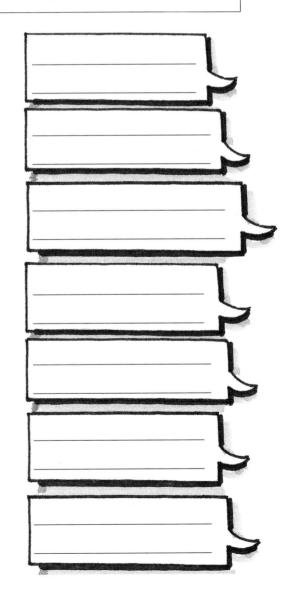

7. Trasformate le frasi secondo il modello.

> Ho visto quel film.
> → *L'hai già visto?*
>
> Non ho visto quel film.
> → *Non l'hai ancora visto?*

a. Paolo ha comprato il libro di storia.

_____

b. Ho fatto le fotografie.

_____

c. Non ho riparato la macchina.

_____

d. Non abbiamo fatto gli esercizi.

_____

e. Maria ha chiamato Carlo.

_____

f. Abbiamo conosciuto i fratelli di Sergio.

_____

g. Non ho letto il giornale.

_____

h. Paolo e Angelo non hanno fatto i biglietti.

_____

i. Ho comprato la carne.

_____

j. Adriano non ha prenotato la camera.

_____

⇨ 10 **8. Rispondete alle domande secondo il modello.**

> Quante *bottiglie* hai portato?
> *Ne ho portate cinque.*

a. Quanti libri hai letto?

_____ cinque.

b. Quante fotografie hai fatto?

_____ quattro.

c. Quanti giorni di vacanza avete avuto?

_____ venti.

d. Quanti appartamenti avete visto?

_____ due.

e. Quante sedie avete portato?

_____ trenta.

f. Quante persone hai conosciuto a quella festa?

_____ tante.

g. Signor Marassi, quanti lavori ha fatto nella Sua vita?

_____ moltissimi.

h. Quanti chilometri ha fatto la tua macchina?

_____ quasi centomila.

(⇨ 14)

9. Aldo (a.), Beatrice (b.) e Cecilia (c.) raccontano come hanno trascorso il giorno di San Silvestro. Completate con il *passato prossimo* o l'*imperfetto* dei verbi fra parentesi.

a. Mia moglie ed io l'anno scorso (passare) _____ il capodanno

alle Maldive. Il tempo (essere) _____ molto bello e (fare) _____

anche caldo. La sera del 31 (festeggiare) _____ in albergo.

La cena (essere) _____ ottima e (esserci) _____ anche un'orchestra

che (suonare) _____ ritmi sudamericani.

(Ballare) _____ tutta la sera e (divertisi) _____

un sacco. A mezzanotte (andare) _____ sulla spiaggia e

(brindare) _____ al nuovo anno.

b. Noi (festeggiare) _____ il capodanno con le nostre

famiglie. (Essere) _____ in quindici fra adulti e bambini. Dopo il

cenone (giocare) _____ a tombola e (divertirsi)

_____ tanto, perché mio suocero, che è napoletano,

non (dire) _____ i numeri, ma il loro significato.

A mezzanotte (uscire) _____ in giardino e (accendere)

_____ i fuochi d'artificio. Insomma (passare)

_____ una bellissima serata.

c. Io purtroppo il 31 (ammalarsi) _____ e così non (divertirsi)

_____ per niente. La sera di S. Silvestro (bere) _____

una tazza di brodo e (mettersi) _____ a letto. (Addormentarsi)

_____ subito, ma a mezzanotte (svegliarsi)

_____ per il rumore che (venire) _____ dalla strada.

(Provare) _____ a riaddormentarmi, ma non (riuscirci)

_____. Allora (alzarsi) _____ e (guardare)

_____ i fuochi d'artificio dalla finestra.

10. Leggete il testo e indicate poi se le affermazioni sono vere o false.

LA TOMBOLA

Il gioco più diffuso nelle feste di Natale in Italia è certamente la tombola.

Il passatempo è estremamente semplice e non richiede nessuna abilità, ma solo un poco di fortuna per vincere uno dei premi in denaro. (Ma è possibile vincerne anche due o tre, o forse vincerli tutti.)

Per giocare ci vogliono: un sacchetto contenente 90 numeri (da 1 a 90) di legno o di plastica, un cartellone di cartone con 90 numeri stampati e infine 48 cartelle, anche queste di cartone, dove sono riportati (secondo un preciso criterio matematico) 15 dei 90 numeri.

Prima di cominciare il gioco, si decide il prezzo delle cartelle. Si vendono le cartelle (il cartellone costa quanto sei cartelle) e con i soldi ottenuti si formano cinque premi.

Il gioco comincia. Chi ha il cartellone estrae un numero dal sacchetto, lo legge ad alta voce e lo mette sul cartellone là dove è stampato lo stesso numero. Chi ha quel numero sulla cartella deve coprirlo con qualcosa, normalmente si usano dei fagioli, delle lenticchie o dei pezzi di buccia di arancia o di mandarino.

Il giocatore che per primo copre due numeri in linea orizzontale su una cartella grida: «Ambo!» e ritira il premio. Chi ne copre tre (sempre su una stessa linea) vince il terno. Con quattro

numeri si vince la quaterna e con cinque la cinquina. Il giocatore che riesce a coprire per primo i quindici numeri di una cartella grida «Tombola» e ritira il premio più grosso.

Come si vede il gioco non è assolutamente difficile, e può essere molto divertente se fra i partecipanti c'è una buona atmosfera e soprattutto se chi ha il cartellone e legge i numeri è una persona spiritosa.

Per tradizione tutti e 90 i numeri hanno un significato e, molto spesso, non si dice il numero, ma quello che il numero significa. Così, invece di 90, si dice «La paura», e invece di 77 si dice «Le gambe delle donne»; 47 è il «morto che parla» e 33 «gli anni di Cristo», e così via.

La tombola è particolarmente popolare a Napoli dove i più esperti gridano, invece dei numeri, esclusivamente il loro significato.

Vero o falso?

	v	f
a. Per vincere a tombola ci vuole solo fortuna.	☐	☐
b. I premi si formano con i soldi delle cartelle vendute.	☐	☐
c. Per vincere l'ambo bisogna soltanto coprire due numeri sulla cartella.	☐	☐
d. Per fare tombola bisogna coprire tutti i numeri di una cartella.	☐	☐
e. A Napoli ci sono persone che conoscono il significato di tutti e 90 i numeri.	☐	☐

11. Completate con *qualcuno, qualcosa, nessuno, niente*.

a. Senti, andiamo a prendere _____ al bar?

b. Ha telefonato _____, ma non ha detto il suo nome.

c. Io non ho visto _____.

d. Non è ancora arrivato _____.

e. Io so _____, ma non posso dire _____.

f. Certamente _____ ha visto _____, ma non vuole parlare.

⇨ 16

12. Fate delle frasi usando *ci vuole* o *ci vogliono*.

> A Capodanno i fuochi d'artificio *ci vogliono*!

a. A Capodanno   le bomboniere
b. A Natale   lo spumante
c. A carnevale   il panettone
d. A Pasqua   i confetti
e. Per la festa di compleanno   le maschere
f. Per le nozze   i fuochi d'artificio
g. Per il battesimo   la torta
h. Per l'anniversario   le uova

⇨ 17

13. Completate le frasi con il verbo *farcela*.

a. _____ da solo o ti devo dare una mano?

b. Sono sicuro che se studiate _____.

c. Purtroppo io non _____ a finire il lavoro questa sera.

d. Carlo è molto bravo: _____ senz'altro.

e. È difficile, ma io spero di _____.

f. (Voi) _____ a finire la traduzione prima di sabato?

g. No, grazie, sei molto gentile, ma io voglio _____ da solo.

14. Completate la lettera con i seguenti verbi.

> bisognare   farcela   dare una mano
>
> volerci   bastare   fare un salto

Caro Marco,

ho una bella notizia: forse fra qualche settimana _____

giù da te. Se qualcuno mi _____ a finire i lavori a casa (da solo non

_____), dopo ho finalmente un po' di tempo libero.

Penso di venire giù con la macchina, più di sette ore non _____, no?

Eh sì, _____ proprio che ci vediamo perché, per raccontarti quello che mi è successo

negli ultimi tempi, una telefonata non _____. Comunque ti chiamo per dirti quando arrivo.

Ti abbraccio

Giuliano

⇨ 18

15. Unite le frasi e completate con il verbo *occorrere* e gli opportuni pronomi indiretti.

a. Che cosa ti occorre per fare la pizza?   ____ _____ il visto sul passaporto (1).

b. Che cosa vi occorre per imparare l'italiano?   ____ _____ il certificato di battesimo (2).

c. Che cosa occorre ad Alì per lavorare in Italia?   ____ _____ due fotografie e un documento (3).

d. Che cosa ci occorre per andare negli Stati Uniti?   ____ _____ una grammatica e un vocabolario (4).

e. Che cosa mi occorre per iscrivermi all'università?   ____ _____ i pomodori e la mozzarella (5).

f. Che cosa occorre a Laura per sposarsi in chiesa?   ____ _____ il permesso di soggiorno (6).

16. Completate le frasi con le parole opportune.
    Trascrivete poi nelle caselle le lettere corrispondenti
    al numero scritto fra parentesi, come nell'esempio.
    La soluzione è una formula augurale.

Il gioco che Claudio ha dimenticato di portare è _la tombola._ (4)

A S. Silvestro a mezzanotte si brinda con lo _____. (3)

La cena di fine d'anno è il _____. (4, 5)

Marzia ha preparato un piatto tipico: il _____.(8)

Claudio non ha dimenticato le _____ . (2)

Claudio non ha dimenticato la _____. (4, 5)

Chi spera di avere più soldi a S. Silvestro mangia le _____ .(1, 2)

Un altro piatto tipico che si mangia con questi legumi è lo _____. (7)

Prima c'era l'usanza di gettare vecchi oggetti dalla _____. (1, 4)

Per comprare il gioco e le sigarette Claudio deve fare un _____ in paese. (3)

Claudio vuole l'aiuto di Marzia per _____ la macchina. (5, 6, 9)

Il primo dell'anno è il _____. (6, 7, 8, 9)

A casa di Marzia prima di Claudio non è arrivato _____. (1, 5, 7)

Marzia adora il _____ rosso. (1, 4)

| b | | | | | | | | | | | | | | | | | | | | | | | | | | | |

17. Completate con il _passato prossimo_ e l'ausiliare _essere_ o _avere_.

a. L'Aida ____ finit___ dopo mezzanotte.

b. Le vacanze _____ finit___.

c. Noi _____ finit___ di lavorare.

d. Il film ____ già cominciat___.

e. Franca ____ cominciat___ a studiare l'inglese.

f. Come sempre Giorgio ____ cominciat___ a parlare di macchine.

g. L'autunno ____ cominciat___ con la pioggia.

h. Finalmente l'inverno ____ finit___.

Grammatica

1. Pronomi indefiniti

▷ *Qualcuno* e *nessuno* hanno solo la forma singolare.

È già arrivato **qualcuno**?
No, non è arrivato **nessuno**.

Le forme *qualcuno* e *nessuno* in (-*o*) si riferiscono a uomini e donne assieme oppure solo a uomini; le forme in -*a* solo a donne.

È già arrivata **qualcuna** delle tue amiche?
No, non è ancora arrivata **nessuna**.

Dall'esempio appena citato si può notare che anche il participio di *arrivare* concorda con il pronome indefinito.

▷ *Niente* e *qualcosa* sono invariabili e hanno solo la forma singolare.
Un participio che concorda con *niente* e *qualcosa* va al maschile.

È success**o qualcosa**?

No, non è success**o niente**.

Osservate la doppia negazione: **non ... niente / non ... nessuno**.

Se però *nessuno* e *niente* precedono il verbo, il *non* della doppia negazione scompare:

Oggi **nessuno** *vuole* rovesciare piatti e bicchieri sulla propria macchina o su quella del vicino.

Niente *è* più buono di un caffè a colazione.

▷ *Tutto* può avere la funzione sia di pronome che di aggettivo e concorda in genere e numero con il nome a cui si riferisce.

pronome:	**aggettivo:**
Ho portato **tutto**.	Ho aspettato **tutto il** giorno.
Sono arrivati **tutti**.	Conosco **tutti i** tuoi amici.

Quando *tutto* ha la funzione di aggettivo, deve essere sempre seguito dall'articolo determinativo.

2. Gli avverbi di tempo *già* e *ancora*

È **già** *arrivato* qualcuno?

No, non *è* **ancora** *arrivato* nessuno.

Nei tempi composti (cfr. passato prossimo) *già* e *ancora* si trovano di norma fra l'ausiliare e il participio passato.

3. Accordo del passato prossimo con i pronomi diretti

Se il passato prossimo viene formato con l'ausiliare *avere*, il participio passato mantiene la desinenza *-o*. Se però davanti al passato prossimo ci sono i pronomi diretti *lo*, *la*, *li*, *le*, il participio deve concordare in genere e in numero con il pronome a cui si riferisce.

Hai portato *il vino*?	Sì, **l**'ho portat**o**.
Hai portato *la chitarra*?	Sì, **l**'ho portat**a**.
Hai portato *i dischi*?	Sì, **li** ho portat**i**.
Hai portato *le carte*?	Sì, **le** ho portat**e**.

Osservate anche:

Quante *bottiglie* hai portato?	**Ne** ho portat**e** dieci.
	Ne ho portat**a** solo *una*.

Se si vuole dare particolare rilievo al complemento oggetto, la posizione degli elementi nella frase cambia: non più (soggetto) + verbo + oggetto, ma oggetto + pronome + verbo (+ soggetto). Anche in questo caso il participio deve concordare in genere e in numero con il pronome a cui si riferisce.

Ho portato la chitarra.	**La chitarra** *l*'ho portat**a**.
Ho portato i dischi.	**I dischi** *li* ho portat**i**.

Attenzione:

Mentre *la* / *lo* possono essere apostrofati, *li* / *le* non vanno mai con l'apostrofo!

4. I numerali collettivi

Decina, quindicina, ventina ecc. indicano una quantità di «circa dieci, quindici, venti» ecc.. Il numerale collettivo si forma aggiungendo *-ina* al numero cardinale privo della vocale finale.

15	→	quindic*i*	→	**una quindicina**
30	→	trent*a*	→	**una trentina**
60	→	sessant*a*	→	**una sessantina**

Questo non vale però per tutti i numeri. Esistono delle forme particolari, per es.:

12	→	dodici	→	**una dozzina**	
100	→	cento	→	**un centinaio**	**(due centinaia)**
1000	→	mille	→	**un migliaio**	**(due migliaia)**

inoltre:

2	→	due	→	**un paio**	**(due paia)**

5. I verbi *provare* e *riuscire*

Conosciamo già il verbo *provare* nel significato di «provare un vestito». Questo verbo ha però anche i significati di «assaggiare» (un cibo) e di «tentare».

Hai provato questo vino?
No, non ancora. Lo assaggio subito.

Se al verbo *provare* (con il significato «tentare») segue la preposizione *a* + un infinito, sia la preposizione che l'infinito possono essere sostituiti da *ci*.

Molti provano *a smettere di fumare*.

Molti **ci** provano.

Lo stesso vale per il verbo *riuscire*.

Pochi **riescono** *a smettere* di fumare.

Pochi **ci** riescono.

137

6. Ci vuole / ci vogliono

Ci vuole (plurale *ci vogliono*) significa «è (assolutamente) necessario / sono (assolutamente) necessari», «c'è bisogno di».

Il primo dell'anno la tombola **ci vuole**!
Dopo tanto lavoro un po' di riposo **ci vuole**!
Sulla pizza napoletana i pomodori **ci vogliono**!

7. *Farcela*

Se al verbo *farcela* segue un infinito, quest'ultimo viene introdotto dalla preposizione *a*.

Forse *ce la faccio* **a** finire in tempo il lavoro.

Mi dispiace, ma non *ce l'ho fatta* **ad** arrivare in tempo.

	presente	passato prossimo
io	**ce la faccio**	**ce l'ho fatta**
tu	**ce la fai**	**ce l'hai fatta**
lui		
lei	**ce la fa**	**ce l'ha fatta**
Lei		
noi	**ce la facciamo**	**ce l'abbiamo fatta**
voi	**ce la fate**	**ce l'avete fatta**
loro	**ce la fanno**	**ce l'hanno fatta**

8. *Cominciare, iniziare* e *finire*

Cominciare, **iniziare** e **finire** possono essere sia transitivi che intransitivi. Nel primo caso hanno come ausiliare il verbo *avere*.

Ho *iniziato* un nuovo lavoro.
Ho *finito* le sigarette.
Abbiamo *cominciato* a mangiare.
Abbiamo *finito* di cenare.

Nel secondo caso hanno come ausiliare il verbo *essere*.

L'anno vecchio **è** *finito*.
L'anno nuovo **è** *iniziato*.
L'estate purtroppo **è** *finita*.
È *cominciato* l'autunno.

Vorrei alcune informazioni

(⇨4)   **1. Vacanze al superlativo. Fate delle frasi secondo il modello.**

> noi – vedere – città importanti
> *Abbiamo visto* le *città* più *importanti.*

a. io – visitare – chiese famose

_____

b. noi – avere – camera bella

_____

c. lui – vedere – isole solitarie

_____

d. loro – visitare – città caratteristiche

_____

e. lei – frequentare – corso interessante

_____

f. noi – fare – giro lungo

_____

g. loro – trovare – spiaggia tranquilla

_____

h. voi – pernottare – albergo – caro

_____

(⇨6)   **2. *Ci vuole* o *ci vogliono*?**

a. Per arrivare in centro _____ 10 minuti.

b. Per dormire in albergo _____ un documento.

c. Per vivere bene a Milano _____ un buon conto in banca.

d. In treno _____ un sacco di tempo.

e. Da Venezia a Milano in macchina _____ circa tre ore.

f. Per fare bene questo lavoro _____ tre giorni.

g. Per viaggiare in Eurocity _____ il supplemento.

3. Completate con il verbo *occorrere* e gli opportuni pronomi indiretti.

a. Andiamo in vacanza in otto, quindi _____ _____ due macchine.

b. Sabato Rita e Franco vanno a teatro e quindi _____ _____ una baby sitter.

c. Se vuoi comprarti un appartamento in centro _____ _____ almeno 200.000 euro.

d. Sono uno che cammina molto e quindi _____ _____ delle scarpe comode.

e. Se avete quattro bambini e due cani _____ _____ una casa con giardino.

f. Piero lavora a 30 chilometri da casa, quindi _____ _____ la macchina.

g. Se Lei vuole andare negli Stati Uniti oltre al passaporto _____ _____ il visto.

h. Patrizia ha finalmente trovato casa e adesso _____ _____ i mobili.

⇨ 8

4. Fate delle frasi secondo il modello.

> Vedo spesso Maria. → Maria è una persona *che* vedo spesso.
> Ti ho parlato di Maria. → Maria è la ragazza *di cui* ti ho parlato.

a. Ho pranzato con Carlo.

Carlo è l'amico _____

_____

b. Mangio sempre volentieri la crostata.

La crostata è un dolce _____

_____

c. Chiedo sempre un consiglio a Sergio.

Sergio è la persona _____

_____

d. Ho saputo tutto da Giuliana.

Giuliana è la ragazza _____

_____

e. Siena mi piace molto.

Siena è una città _____

_____

f. Lavoro per la Pirelli.

Pirelli è la società _____

_____

g. Preferisco viaggiare con il treno.

Il treno è il mezzo _____

_____

h. Conosco bene il francese.

Il francese è una lingua _____

_____

**5. Lorenzo e la sua ragazza hanno trascorso alcuni giorni in Sardegna.
Ora stanno mostrando agli amici le foto delle loro vacanze.
Completate le frasi con *che* o *cui* + preposizione.**

a. Questo è il porto _____ siamo partiti.

b. Questa è la nave _____ abbiamo viaggiato.

c. Queste sono delle persone _____ abbiamo conosciuto sulla nave.

d. Questo è l'albergo _____ abbiamo passato le prime due notti.

e. Questa è la famiglia _____ abbiamo abitato vicino a Oristano.

f. Questa è la spiaggia _____ vi abbiamo parlato.

g. Questo è il nuraghe _____ abbiamo visitato.

h. Questa è la montagna _____ siamo saliti.

i. Queste sono le biciclette _____ abbiamo noleggiato

e _____ abbiamo fatto una bella gita.

⇨ 11

6. Completate il testo.

In Italia quasi tutte le autostrade sono a _____. Quando si viaggia in autostrada
bisogna ritirare il _____ al casello di _____ e poi pagare il _____ al casello di
_____. Spesso si devono fare delle lunghe code; ma si può fare qualcosa per _____
questi problemi. Se si ascolta la _____ per esempio, si possono avere delle informazioni sul
_____. Se non si vuole perdere molto tempo al _____ di uscita, si può comprare la
Viacard e non si hanno problemi: si inserisce il _____ nella colonnina e si seguono le istruzioni
per il pagamento.

7. Completate con il «si» impersonale dei verbi (che sono nell'esatta successione).

> volere – prendere – usare – andare – trovare – pagare – prendere
> aspettare – dovere – potere – abitare – fare – aspettare – arrivare

Qui a Roma se _____ andare in centro non _____ la
macchina: _____ i mezzi pubblici o _____ in motorino. In
centro non _____ posti dove parcheggiare la macchina e nei
parcheggi a pagamento _____ troppo. È veramente un problema.
Se _____ l'autobus qualche volta _____ anche per
mezz'ora e inoltre _____ avere i biglietti, perché non
_____ comprare in autobus. Se _____ vicino a una
stazione della metropolitana invece non ci sono problemi: _____
il biglietto al distributore automatico, non _____ molto e
_____ in centro in pochi minuti.

8. Unite le frasi usando *basta* o *bastano*.

a. Per avere la colazione in camera

b. Per cominciare a parlare una lingua

c. Trovare una cuccetta non è un problema

d. Per non trovare traffico

e. Preparare un buon pranzo è facile

f. Per sapere l'ora esatta

g. Per conoscere le condizioni del traffico sulle strade

h. Per essere alla moda

1. _____ prenotare in tempo.

2. _____ telefonare al 161.

3. _____ telefonare alla reception.

4. _____ anche pochi soldi.

5. _____ ascoltare «Onda verde» alla radio.

6. _____ anche due o tre settimane di corso.

7. _____ partire presto.

8. _____ cucinare con amore.

9. Completate con *bisogna, ci vuole, ci vogliono*.

a. A Bologna _____ aspettare tre quarti d'ora.

b. Da Firenze a Bologna _____ un'ora e mezza.

c. In autostrada in Italia _____ pagare il pedaggio.

d. Per il biglietto in aereo _____ circa 300 euro.

e. In aereo _____ circa un'ora, in treno _____ almeno 12 ore.

f. Per non trovare traffico _____ partire presto.

g. Per andare in Marocco _____ il passaporto.

h. Per Cortina non ci sono treni, _____ prendere l'autobus.

⇨ 15

10. Trasformate le frasi secondo il modello.

> Vorrei *delle* informazion*i*. → Vorrei *qualche* informazion*e*.

a. Vorrei dei dépliant di crociere.
b. Hai dei libri di storia?
c. Posso invitare degli amici?
d. Hai visto dei posti interessanti?

e. Avete fatto delle fotografie?
f. Ci sono dei treni prima delle otto?
g. Hai conosciuto degli italiani?
h. Ho comprato dei giornali per il viaggio.

11. Completate con *qualche*, *alcuni* o *alcune*.

a. Vorrei _____ informazioni.

b. Ho letto _____ libri di psicologia.

c. Abbiamo passato _____ settimana in montagna.

d. A colazione ho mangiato solo _____ biscotto.

e. C'è ancora _____ posto libero?

f. Ho capito solo _____ parole, ma non tutto il testo.

g. Ho incontrato Paolo _____ giorni fa.

h. Qui da _____ giorno fa veramente freddo.

12. Completate con *volerci* o *metterci*, secondo il modello.

> In macchina *ci vuole* un'ora, il treno invece *ci mette* 30 minuti.

a. In treno _____ due ore. Noi in macchina _____ 50 minuti.

b. In autobus _____ mezz'ora. Io in bicicletta _____ 20 minuti.

c. In nave _____ una notte intera. L'aereo _____ tre quarti d'ora.

d. In Eurostar _____ 40 minuti. I treni regionali _____ almeno un'ora e mezza.

e. A piedi noi _____ mezz'ora. In autobus quando c'è traffico, _____ lo stesso tempo.

f. In metropolitana _____ dieci minuti, in taxi voi _____ sicuramente almeno mezz'ora.

13. Lei vuole andare a Venezia. Entra in un'agenzia di viaggi per chiedere delle informazioni.

    ▨ Buongiorno, desidera?

Risponde al saluto e dice cosa desidera.
● _____

_____

_____

    ▨ Quando vuole partire?

Risponde.
● _____

    ▨ Dunque ... c'è un treno che parte alle 7.12 e poi un Eurocity alle 9.45.

Si informa sulla durata del viaggio.
● _____

_____

    ▨ Con il primo treno tre ore e dieci minuti, con l'Eurocity poco più di due ore.

Lei sceglie l'Eurocity, e spiega perché.
Domanda poi il prezzo.
● _____

_____

    ▨ 47 euro in seconda classe e 65 in prima.

Dice in quale classe preferisce viaggiare.
● _____

    ▨ Benissimo.

Chiede all'impiegato di prenotarle un posto
e dice dove lo vuole.
● _____

_____

    ▨ Certo. Un momento ... vediamo ... sì, va bene.

Chiede di pagare con la carta di credito.
● _____

    ▨ Certo.

14. Scegliete il verbo opportuno e coniugate al presente.

a. Da casa mia al lavoro di solito io _____ dieci minuti. (metterci/occorrere)

b. Per andare in centro _____ prendere la metropolitana.
(volerci/convenire)

c. Per il mio lavoro mi _____ la macchina. (occorrere/bisognare)

d. Per imparare una lingua _____ tempo. (volerci/bastare)

e. Per imparare bene una lingua _____ studiare. (metterci/bisognare)

f. Per imparare una lingua _____ studiare un'ora al giorno. (volerci/bastare)

(· 20) **15. Completate il testo con il *passato prossimo* o l'*imperfetto* dei verbi fra parentesi.**

Un famoso cantante italiano (essere) _____ in viaggio in Turchia quando

all'improvviso la sua motocicletta (fermarsi) _____ per un guasto in una

strada in cui non (passare) _____ nessuno. (Provare) _____

a ripararla, ma non (riuscirci) _____. Dopo un'ora (mettersi)

_____ in cammino e a un certo punto (arrivare) _____ a un

villaggio dove c'erano solo dei vecchi che non (parlare) _____ inglese.

Mentre (cercare) _____ di farsi capire a gesti, da lontano (vedere)

_____ arrivare un pullman. Quando il pullman (entrare)

_____ nel villaggio, lui (fermarlo) _____ e (chiedere)

_____ aiuto. Il pullman (essere) _____ pieno di italiani,

fra cui molti suoi fans che (riconoscerlo) _____ e (salutarlo)

_____ con un applauso. Felici per la bella sorpresa (farlo) _____

salire e (portarlo) _____ al loro albergo dove (offrirgli)

_____ la stanza e la cena in cambio di un concerto privato

improvvisato.

16. Leggete il testo e indicate poi se le affermazioni sono vere o false.

TRENI E SPAGHETTI

Come si viaggia in treno in Italia? Bene o male, dipende dai treni e dalle circostanze. Se si vuole viaggiare da una città importante a un'altra ugualmente importante, normalmente non ci sono problemi. I treni sono frequenti e partono e arrivano quasi sempre in orario o con ritardi minimi. I problemi cominciano quando si parte da una piccola stazione o si vuole arrivare in un piccolo centro, perché i collegamenti ferroviari non sempre sono buoni: spesso, infatti, si deve cambiare treno e attendere la coincidenza. Ci sono inoltre diverse città che non sono collegate alla rete ferroviaria.

Per incoraggiare il trasporto privato, negli anni '60 lo stato italiano ha favorito la costruzione di autostrade, ma non quella di linee ferroviarie. Per chi vuole raggiungere una piccola città è meglio quindi prendere la macchina oppure un autobus, la cosiddetta corriera, che sostituisce efficacemente il trasporto ferroviario, ma che risente spesso del problema del traffico. Se viaggiare in treno non è sempre pratico, in compenso le tariffe ferroviarie sono abbastanza economiche. Viaggiare in treno in Italia costa molto meno che in Germania, in Austria o in Svizzera. Per il resto i treni italiani non sono troppo diversi da quelli degli altri paesi europei. Una differenza però c'è. Nei vagoni ristorante dei treni italiani si possono mangiare generosi piatti di spaghetti o di altri tipi di pasta. Naturalmente la qualità della cucina non è ottima e non sempre gli spaghetti sono al dente, ma non si deve dimenticare che in fondo si è in un treno e non in un ristorante di lusso (anche se questo è quello che spesso si pensa quando alla fine arriva il conto).

Vero o falso?

	v	f
a. In Italia è problematico viaggiare in treno fra due città importanti.	☐	☐
b. Viaggiare in treno fra due piccoli centri non è sempre facile.	☐	☐

	v	f
c. Negli anni '60 lo Stato italiano ha costruito molte linee ferroviarie.	☐	☐
d. Gli spaghetti nei vagoni ristorante non sono buoni come nei ristoranti di lusso.	☐	☐

Grammatica

1. Volerci

Conoscete già dalla lezione 3, *ci vuole!* (...è necessario, non può mancare).

Il primo dell'anno la tombola **ci vuole**!

Più spesso *ci vuole* (plurale *ci vogliono*) viene usato per indicare che qualcosa è necessaria, che c'è bisogno di qualcosa.

Da Napoli a Lipari **ci vogliono** circa 12 ore.

Per visitare comodamente l'isola **ci vuole** la macchina.

Per viaggiare con l'Eurostar **ci vuole** la prenotazione.

Confrontate:

Per arrivare a Napoli normalmente **ci vogliono** circa due ore, ma l'Eurostar, che è molto veloce, **ci mette** di meno.

Ci vuole/ci vogliono esprimono un'indicazione di carattere generale, *metterci* indica invece di cosa hanno bisogno per fare qualcosa singole persone o cose.

2. I pronomi relativi *che* e *cui*

▷ Il pronome relativo *che* è soltanto soggetto o oggetto diretto (cioè non è accompagnato da una preposizione).

▷ Il pronome relativo *cui* è usato solo come complemento indiretto, è preceduto cioè da una preposizione.
Tutti e due i pronomi sono invariabili e possono riferirsi sia a persone che a cose.

Lipari è un'isola	**che** mi affascina. **che** amo moltissimo.
Lipari è un'isola	**di cui** si conosce bene la storia. **in cui** vivrei tutto l'anno.
Quelle sono vacanze	**a cui** penso spesso.
Il prezzo altissimo è una delle ragioni	**per cui** abbiamo cambiato albergo.

3. Verbi usati impersonalmente

▷ **basta** (è sufficiente)

Per avere informazioni sul traffico basta accendere la radio.

Al verbo *bastare* possono seguire o un infinito (cfr. sopra) o un sostantivo. In quest'ultimo caso il verbo concorda nel numero con il nome a cui si riferisce.

Bastano pochi secondi per pagare il pedaggio con la Viacard.
Basta un attimo per pagare il pedaggio con la Viacard.

▷ **bisogna** (è necessario)

In Autostrada **bisogna** pagare il pedaggio.

▷ **conviene** (è meglio)

A Lipari **conviene** portare la macchina.

Conviene partire da Napoli o da Civitavecchia?

4. *Qualche, alcuni, alcune, qualcosa*

Qualche significa «alcuni» ed è invariabile.
Il sostantivo che segue è sempre singolare.

Mi dà **qualche** informazion**e**?
C'è **qualche** ristorant**e** qui vicino?

Qualche può essere sostituito da *alcuni / alcune*.

La Viacard si può comprare in **alcune**
banch**e** e in **alcuni** uffic**i** turistic**i**.

Conoscete già dalle lezioni precedenti *qualcosa*.
Si tratta di una forma abbreviata di *qualche cosa*.

Vuoi bere **qualcosa**?

5. Opposizione *passato prossimo - imperfetto*

Il *passato prossimo* indica un'azione del passato ormai conclusa.

L'estate scorsa **ho fatto** un viaggio in Puglia.

(Il viaggio è già terminato).

L'*imperfetto* si usa invece:

▷ quando un'azione (la cui durata non è indeterminata) viene descritta nel suo svolgimento:

Stavamo facendo un viaggio in Africa.

▷ quando si fa una descrizione;

Il posto **era** meraviglioso.

▷ quando si vuole indicare uno stato d'animo o una condizione fisica;

Eravamo in imbarazzo.

Se nel corso di un'azione ne interviene una seconda, si usa l'imperfetto per descrivere la prima e il passato prossimo per la seconda.

Mentre **discutevamo**, **è arrivata** una cameriera africana.

Che studi ha fatto?

⇨4 **1. Trasformate le frasi secondo il modello.**

> *Cerchiamo dei* camerieri e *dei* baristi referenziati.
>
> → *Cercansi* camerieri e baristi referenziati.

a. Richiediamo la massima serietà.

_____

b. Offriamo uno stipendio adeguato.

_____

c. Offriamo delle buone possibilità di carriera.

_____

d. Cerchiamo dei neodiplomati per un lavoro part time.

_____

e. Cerchiamo una segretaria con una buona conoscenza della lingua inglese.

_____

⇨5 **2. La stampante non funziona bene e non stampa tutte le lettere. Completate voi il testo.**

Gentile signora Turrini,

al coll_____ di lavoro si sono pres_____ diverse persone di cui due particolarmente interes_____ e cioè un giov_____ di ventotto anni che ha lav_____ in America come guida tur_____ e una ragazza di ventisei an_____ he ha lavorato in Ing_____ e in Italia come receptionist. Tutti e due parlano almeno due lingue stran_____. Tutti e due mi sembrano delle persone affid_____ e adatte per il nostro lav_____

A più tardi!

Ernesto Fumagalli

⇨ 9

3. «Le scuse»
Completate le scuse con *dovere*, *potere* e *volere* secondo il modello.

> Mi dispiace proprio, ma ieri io non *ho potuto* telefonarti.

a. Ieri non sono venuto perché _____ lavorare fino a tardi.

b. Il direttore non _____ darmi un permesso, e così sono uscito tardi.

c. Io non _____ finire il lavoro perché sono stato malissimo tutta la sera.

d. Scusa il ritardo, ma _____ accompagnare mia madre dal dottore.

e. Scusa il ritardo, ma il direttore _____ parlarmi, e io _____ ascoltarlo per due ore.

f. È tardi, lo so, ma purtroppo non _____ prendere la macchina.

4. Completate con *quindi* o *a un certo punto*.

a. Mio fratello è partito per il servizio militare e _____ ha dovuto smettere di lavorare.

b. Ho lavorato per otto anni in banca, ma _____ ho deciso di cambiare vita e ho comprato un bar.

c. Pino ha studiato in Inghilterra e _____ parla bene l'inglese.

d. Tina ha cominciato a studiare architettura, ma _____ ha cambiato facoltà e ora studia ingegneria.

e. Luciana ha insegnato per diversi anni in un liceo. _____ ha avuto un bambino e _____ ha deciso di restare a casa con lui.

5. Sapete ricomporre la biografia di Gabriele Salvatores?

In questi due film Salvatores fa un ritratto degli italiani così come sono nella realtà e cioè i soliti giocosi arruffoni, a volte tristi e a volte geniali, sempre un po' sognatori.

Ma il film che ha avuto più successo è senz'altro «Mediterraneo» che nel 1992 ha ottenuto l'Oscar come miglior film straniero. Dopo «Mediterraneo» ha girato «Puerto Escondido» (1992), «Sud» (1993), «Nirvana» (1997) e «Denti» (2000).

Gabriele Salvatores è nato a Napoli nel 1950, ma è cresciuto a Milano, tanto che oggi si definisce un milanese di adozione. Da ragazzo ha frequentato uno dei licei più famosi della città, il Beccaria, e già in quegli anni ha cominciato a fare teatro con alcuni suoi compagni di scuola.

Nel 1972 c'è stata una grande svolta nella sua vita: ha abbandonato gli studi e, con alcuni amici, ha fondato la compagnia del Teatro dell'Elfo.

Nel 1982 ha cominciato a lavorare come regista cinematografico. Il suo primo successo arriva con «Marrakesh Express» (1988), seguito poi da «Turné» (1990), due film che raccontano l'amicizia, l'amore, la complicità e l'allegria.

Quando ha finito il liceo, si è iscritto all'università e per due anni ha frequentato con ottimi risultati la facoltà di giurisprudenza. Durante questo periodo non ha però dimenticato il teatro e ha frequentato anche la scuola del Piccolo Teatro di Milano.

6. Completate il testo coniugando al *passato prossimo* i seguenti verbi.

iscriversi   prestare   nascere   laurearsi   cominciare

diplomarsi   licenziarsi   soggiornare   migliorare

Angelo Navetti _____ a Viterbo il 3 aprile del 1966. Il

12 luglio 1985 _____ al liceo scientifico L. Pasteur della sua

città con 52/60, e poi _____ alla facoltà di Economia e

Commercio dell'Università di Roma dove _____ il 15 marzo

1991. Dal luglio del 1991 allo stesso mese del 1992 _____

servizio militare presso il XII Battaglione Carristi «L. Granelli» di Padova.

Dal settembre del 1992 al gennaio del 1993 _____ a Londra

dove _____ il suo inglese già buono. Nel marzo dello stesso

anno _____ a lavorare come impiegato nel reparto

amministrativo della Speedy Spedizioni di Roma, da dove

_____ nove mesi dopo. Attualmente Angelo lavora come

responsabile dell'ufficio contabilità generale presso la Felix S.p.A. di

Viterbo, dove abita in via Brunetti 15.

7. Angelo Navetti cerca un nuovo lavoro e si è presentato alla A.S.C.A. Aiutatelo a riempire il seguente formulario.

A. S. C. A. s.r.l.
Formulario richiesta di impiego

Si prega di scrivere a macchina o in caratteri stampatello

Nome e Cognome: ....

Luogo e data
di nascita: ....

Cittadinanza: ....

Stato civile: celibe ☐   coniugato ☐   separato ☐

                  nubile ☐   vedovo ☐   divorziato ☐

Servizio militare: assolto ☐   non assolto ☐   Motivo ....

Residenza: ....

....

Titoli di studio: ....

....

....

....

Lingue conosciute:		ottimo	buono	sufficiente
_____		☐	☐	☐
_____		☐	☐	☐
_____		☐	☐	☐

Soggiorni
all'estero: ....

....

....

Esperienze
di lavoro: ....

....

....

8. Leggete il seguente testo e completate poi le domande usando il *passato prossimo*.

Paolo Conte – Un cantautore di successo

Nasce ad Asti il 6 gennaio 1937. Già da ragazzo comincia ad appassionarsi di jazz.
Inizia, prima insieme al fratello Giorgio, poi da solo a scrivere canzoni che alla metà degli anni '60 entrano nelle hit parade italiane. Fra i titoli più conosciuti: «La coppia più bella del mondo» e «Azzurro» interpretate da Adriano Celentano, «Genova per noi» interpretata da Bruno Lauzi. Poi nel 1974 esce l'album, intitolato «Paolo Conte», che segna il debutto da protagonista del compositore astigiano.
E' nel 1979, però, che con «Un gelato al limon» il pubblico inizia a scoprire Paolo Conte. Da quell'anno è un crescendo di successi, di concerti in Italia e all'estero. Nel 1984 esce il suo primo album che si intitola ancora una volta semplicemente «Paolo Conte». Il disco ottiene grande interesse dei media e recensioni entusiastiche. Intanto il cantautore conquista la Francia, suonando al «Théatre de la ville» di Parigi.
Il 1987 porta finalmente un disco di nuove canzoni: «Aguaplano». Il cantautore inizia una serie di lunghe tournée all'estero: due tournée in Canada, cinque in Francia – per tre settimane all'Olympia di Parigi –, due tour in Olanda e ottiene in seguito il disco d'oro e il disco di platino.
Negli anni successivi escono numerosi suoi album «Novecento» (1992), «Una faccia in prestito» (1995), fino al più recente «Razmataz» che conferma la maturità musicale e creativa del cantautore astigiano.

a. Quando _____ Paolo Conte?   Nel 1937.

b. Quando _____ ad appassionarsi di jazz?   Da ragazzo.

c. Con chi _____ a scrivere canzoni?   Con il fratello Giorgio.

d. Chi _____ «Azzurro»?   Adriano Celentano.

e. Quando _____ l'album «Paolo Conte»?   Nel 1974.

f. Con quale canzone il pubblico _____   «Un gelato al limon».
   scoprire Paolo Conte?

g. Dove _____ a Parigi?   Al «Théatre de la ville».

h. Che cosa _____ in seguito?   Il disco d'oro e il disco di platino.

i. Che cosa _____ «Razmataz»?   La maturità musicale del cantautore.

⟳ 13

9. Anna lascia alla sua amica di Vienna, in visita a Roma, un messaggio in albergo. Inserite _avere_ o _essere_ e le finali necessarie.

Ciao Helga,

purtroppo ieri sera non _____ potut__ venire a prenderti alla stazione, perché _____

dovut__ lavorare fino a tardi. È venuto un cliente da Milano e io _____ dovut__ andare

a prenderlo all'aeroporto per accompagnarlo in albergo. Non solo: la sera lui _____

volut__ visitare la città, e così io _____ dovut__ portarlo in giro. Lui _____

volut__ vedere tutto e in più _____ volut__ anche scegliere il ristorante, naturalmente

_____ dovut__ scegliere il più turistico e il più caro; poi, non ancora soddisfatto,

non _____ potut__ rinunciare al caffè in Piazza Navona e io _____ dovut__ restare

a chiacchierare con lui fino a mezzanotte.

Quando vuoi, puoi telefonarmi in ufficio.

A più tardi
Anna

10. Completate il testo.

Marisa Bolognini _____ al liceo artistico con la votazione di 55/60.

Poi _____ alla facoltà di architettura e cinque anni dopo _____.

Dopo la laurea non _____ lavoro nella sua città e quindi _____

trasferire a Como dove _____ a lavorare presso lo studio di un architetto.

11. Trasformate le frasi secondo il modello.

| Luisa non vuole venire | → | Luisa non *è voluta* venire. |
| Devo lavorare. | → | *Ho dovuto* lavorare. |

a. Mario non vuole uscire.

_____

b. Non posso telefonare a Luigi.

_____

c. Carlo deve restare a casa con il bambino.

_____

d. Mario e Aldo devono aspettare il treno successivo.

_____

e. Veramente non puoi venire?

_____

f. Franca non vuole venire con noi.

_____

g. Laura non vuole incontrare Michele.

_____

h. Sandra non può arrivare prima delle sei.

_____

i. Non posso dire altro.

_____

j. Perché non volete venire?

_____

12. Trasformate le frasi secondo il modello.

| Devo svegliarmi alle sei. | → | Ho dovuto svegliarmi alle sei. |
| Mi devo svegliare alle sei. | → | Mi sono dovuto svegliare alle sei. |

a. Maria non può presentarsi al colloquio di lavoro. _____

b. Loro non si vogliono occupare di questo problema. _____

c. Io voglio iscrivermi a un corso di francese. _____

d. Noi ci dobbiamo alzare presto. _____

e. Gli studenti devono incontrarsi con il professore. _____

f. In vacanza Marta si vuole riposare. _____

⇨ 17

13. Completate le frasi con il gerundio.

a. (Lavorare) _____ tutto il giorno, non ho
tempo per la famiglia.

b. (Abitare) _____ lontano dal centro, la sera
preferiamo restare a casa.

c. (Essere) _____ hostess, Maria viaggia gratis
in aereo.

d. (Vivere) _____ con i genitori, Paolo non può
fare quello che vuole.

e. (Fare) _____ il meccanico, guadagna bene.

f. (Pagare) _____ un affitto così alto, non posso
permettermi di andare in vacanza.

⇨ 18

14. Completate con *sapere* e l'infinito del verbo opportuno.

a. Io _____ _____ la chitarra.

b. Mario _____ _____ il tango.

c. Noi _____ _____ l'inglese.

d. Carlo _____ _____ gli spaghetti.

e. I miei amici _____ _____ a poker.

f. Voi _____ _____ il computer?

g. Tu _____ _____ la motocicletta?

h. Lei signora, _____ _____ a maglia?

15. *Potere* o *sapere*?

Completate le risposte con il verbo opportuno.

a.

Volete venire a Cortina a Natale?

Ti ringrazio ma io non _____ sciare.

Ed io invece purtroppo non _____ venire perché devo stare con la mia famiglia.

b.

Facciamo il bagno?

No, adesso non _____ farlo. Ho appena mangiato.

Sì, ma solo qui vicino. Io non _____ nuotare bene.

c.

Venite a cena da me domenica?

Ottima idea, però ci fai la trippa? Nessuno _____ farla buona come te!

Va bene, ma non _____ cucinare un'altra cosa? A me la trippa veramente non piace.

16. Completate il testo.

_____ _____ Renata, ____ 25 anni e sono nata a Prato, vicino ___ Firenze.

Dopo la _____ dell'obbligo non ____ voluto continuare ___ studiare e

ho cominciato a _____ in un supermercato, ma dopo sei mesi la mia

famiglia si è trasferita a Brescia e _____ ho dovuto lasciare il lavoro.

A Brescia mi ____ _____ all'istituto tecnico commerciale. Qui, oltre

all'inglese, ho _____ anche il francese e lo spagnolo. Quando mi

sono diplomata, ho risposto a molti annunci, ho _____ qualche colloquio

di lavoro e dopo tre o quattro mesi ho trovato _____ presso un'agenzia

turistica. Lavorare qui mi piace molto _____ i miei colleghi sono simpatici

e _____ ho la possibilità di viaggiare spendendo poco. Da un anno

frequento anche un _____ di tedesco. Per me il tedesco è più difficile

delle altre _____ ma, anche se ancora non lo ____ parlare bene, sono

già in _____ di capirlo.

⇨20

17. Rileggete il brano di p. 67.
Come sarebbe il racconto se scritto da De Sica?

Poi, molto pazientemente, _mia sorella_ _____ scriveva il solito bigliettino:

«Il figlio di una mia cara amica» eccetera. E ____ regolarmente

_____ là dove _____ girando, all'ora di pausa.

«Commendatore, scusi, sua sorella ...» E _____ ogni volta _____:

«Ma figlio mio» – _____ allora _____ quindici anni – «studia,

studia! Vedrai, un giorno ... Adesso studia, però.» «Va bene, grazie

Commendatore.» Tre mesi dopo, _____ di nuovo lì. _____ andato

avanti anni, così.

Grammatica

1. *Passato prossimo* con i verbi servili

I verbi servili **volere**, **dovere** e **potere** possono formare il passato prossimo sia con l'ausiliare *avere* che con *essere*. Confrontate:

Mario non **ha voluto** *continuare* gli studi.

Franca **è dovuta** *ritornare* in Italia.

Se il verbo che segue il servile forma il passato prossimo con *avere* (per es.: *continuare*) anche il verbo servile formerà il passato prossimo con *avere*. I participi non subiscono variazioni.

Se invece il verbo che segue il servile forma il passato prossimo con *essere* (per es.: *ritornare* o *andare*) anche il verbo servile formerà il passato prossimo con *essere*.

I participi *voluto*, *dovuto*, *potuto* dovranno in questo caso concordare in genere e numero con il soggetto.

Se a *volere*, *dovere*, *potere* segue un verbo riflessivo, il *passato prossimo* si forma con *avere* se il pronome riflessivo è unito all'infinito e con *essere* se il pronome riflessivo precede il verbo servile.

Franca non **ha potuto** *laurearsi*.
Franca non **si è potuta** laureare.

Paolo **ha dovuto** *trasferirsi* In Italia.
Paolo **si è dovuto** trasferire in Italia.

2. *Sapere / potere*

Sapere + infinito significa "essere capace".

Angela **sa** parlare anche l'inglese.

Mario **sa** suonare la chitarra.

Potere + infinito significa "avere la possibilità".

Oggi non **posso** venire alle otto.

3. Gerundio

Il gerundio è usato in una proposizione secondaria (dipendente) che in genere ha lo stesso soggetto della proposizione principale.
Il gerundio può esprimere, fra le altre cose, la causa che determina l'azione oppure la circostanza di tempo in cui essa avviene. In alcuni casi può essere sostituito anche da una proposizione principale seguita dalla congiunzione *e*.

Proposizione secondaria	*Proposizione principale*
Essendo di Aosta (*Poiché sono* di Aosta)	parlo perfettamente il francese.
Andando a scuola (*Mentre vado* a scuola)	mi fermo a prendere un caffè al bar.
Ringraziando per l'attenzione (*Ringrazio* per l'attenzione *e*	Vi saluto cordialmente. Vi saluto cordialmente).

Hai visto che casa?

⇨ 4

1. Completate le frasi con il *passato prossimo* del verbo opportuno.

bersi – comprarsi – farsi – fumarsi – giocarsi – mangiarsi – trovarsi

a. Franco _____ a poker tutto lo stipendio ed ora non ha
più un soldo fino alla fine del mese.

b. Dopo la laurea i miei figli _____ subito un lavoro.

c. Se adesso state male è perché ieri sera _____ una grappa
dopo l'altra.

d. Oggi Luisa _____ almeno due pacchetti di sigarette.

e. Ma quanta cioccolata _____, Luisa?

f. Hai visto che mangiata _____ Claudio e Roberto ieri sera?

g. Ieri ho fatto una pazzia: _____ un vestito di Valentino.

⇨ 5

2. Quali di queste parole sono dei diminutivi e quali no?

cabina   bambina   biscottino   appartamentino   cappottino
scontrino   stradina   cugina   coltellino
gattino
tacchino   paesino   cappellino   giardino   cucina   cantina

3. Completate le frasi con la parola opportuna.

bidone - crosta - mattone - pizza - straccio

a. L'ho comprato, l'ho fatto vedere agli amici e poi ho scoperto che è un falso.
Ho pagato 5.000 euro per avere una _____!

b. Dieci anni fa mi è costato un sacco di soldi, ma ora non lo posso più mettere.
Ormai è uno _____.

c. Ho deciso che la vendo. Mi lascia sempre per strada. Ormai è proprio un _____.

d. Sono andato a vederlo, ma sono uscito dopo un quarto d'ora. È veramente una _____.

e. È la terza volta che lo apro, ma dopo cinque minuti mi addormento. È proprio un _____.

⇨7

4. Sostituite le parole sottolineate con dei diminutivi.

Sandra vive a Rovereto, una <u>piccola città</u> in provincia di Trento, ma studia a Verona. Per andare all'università ogni mattina prende il treno e il viaggio dura <u>quasi un'ora.</u> A Rovereto lei abita in centro, in una <u>piccola piazza</u> dove ogni settimana c'è un <u>piccolo mercato.</u> Sandra ha un <u>piccolo appartamento</u> con un soggiorno spazioso, una <u>piccola camera</u> dove lei dorme, un bagno e la cucina che ha pure un <u>piccolo terrazzo.</u>

_____

_____

_____

_____

_____

_____

_____

⇨10

5. Completate lo schema.

	parlare	prendere	capire	essere	avere
io	parlerei	_____	_____	sarei	avrei
tu	_____	_____	capiresti	_____	_____
lui lei Lei	_____	prenderebbe	_____	sarebbe	_____
noi	_____	_____	_____	_____	avremmo
voi	parlereste	_____	_____	_____	_____
loro	_____	_____	_____	sarebbero	avrebbero

⟳ 11

6. Completate con il condizionale dei verbi fra parentesi.

a. Sandro, (aiutarmi) _____ a riparare la macchina oggi?

b. Con un appartamento più grande noi (avere) _____ più spazio e

non (dovere) _____ più mangiare in cucina.

c. Perché non vuoi passare le vacanze in un club turistico? Io (potere)

_____ fare dello sport, tu (riposarti) _____ e i bambini

(divertirsi) _____.

d. Comprare adesso una nuova macchina (essere) _____ un

problema: io (dovere) _____ pagarla a rate o chiedere i soldi ai miei

genitori.

e. Davvero Le (piacere) _____ vivere in campagna? Io non ci

(vivere) _____, (sentirmi) _____ troppo isolato.

f. Quest'anno io (volere) _____ andare a trovare degli amici a Londra.

Li (rivedere) _____ dopo tanto tempo, (parlare) _____ l'inglese

e inoltre (visitare) _____ i musei che ancora non conosco.

7. Completate con il condizionale dei seguenti verbi.

| andare – avere – dire – volere – potere |

a. Carlo, se esci, _____ comprare il giornale?

b. Veramente domani io _____ un appuntamento, ma _____

rimandarlo.

c. Senta, _____ vedere quei pantaloni in vetrina.

d. Mario, ti _____ di uscire stasera?

e. Dottor Salvi, che ne _____ di comprare un computer nuovo?

f. Signor Marotta, _____ un po' di tempo per me domani?

g. Giancarlo, che ne _____ di andare allo stadio domenica?

8. Completate con il condizionale dei verbi fra parentesi.

a. Io (potere) _____ mandare il bambino in vacanza in Francia e in pochi mesi (imparare) _____ il francese.

b. Voi (potere) _____ investire i vostri soldi in azioni e in pochi anni (avere) _____ un capitale.

c. Lui (potere) _____ cominciare a lavorare con il padre e in pochi anni (assumere) _____ la direzione della società.

d. Noi (potere) _____ comprare un appartamento vicino alla stazione della metropolitana, così in pochi minuti (essere) _____ in centro.

⇨ 12

9. Fate delle frasi secondo il modello usando i verbi dello specchietto.

Tu vuoi prendere in affitto un appartamento più grande, *e chi lo pulirebbe?*

vendere la nostra vecchia macchina,…

avere un grande giardino,…

prendere un cane,…

comprare una macchina nuova,…

mandare i bambini in piscina,…

comprare tutta questa frutta,…

accompagnare

mangiare

comprare   *pagare*

curare   *portare fuori*

_____

_____

_____

_____

_____

_____

⇨ 13

10. Completate con *ne* o *ci*.

a. Mi dai una mano a finire questo lavoro? Da solo non ____ riesco.

b. Adesso sono stanco, non ho voglia di discutere. ____ parliamo domani.

c. Tu dici che per il momento è meglio lasciare i soldi in banca, ma io non ____ sono sicuro.

d. Dai, Mario! L'esame non è difficile! Sono sicuro che, se ____ provi, ce la fai.

e. Carlo dice che conosce tante persone importanti, ma io non ____ credo.

⇨ 14

11. *Meglio* o *migliore*?

a. Per me è _____ vivere in città.

b. Secondo me è _____ non dire niente.

c. Purtroppo Lia non ha trovato un lavoro _____.

d. Mi hanno fatto un'offerta _____ e mi sono deciso.

e. Franco ha cambiato lavoro e ora si trova _____.

f. Dobbiamo deciderci: non vedo un'occasione _____ di questa.

g. Per andare in vacanza questo è il periodo _____.

⇨ 15

12. Cruciverba

Le caselle evidenziate daranno il nome di un nuovo oggetto.

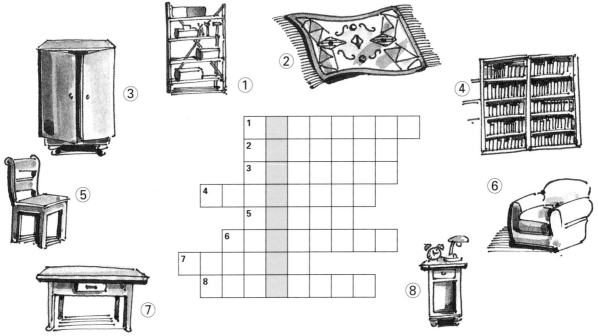

⟳ 16

13. Completate il dialogo con il condizionale dei verbi fra parentesi.

▨ Mamma, non ho più voglia di andare a scuola.

● Come non hai più voglia? E che cosa (volere) _____ fare?

▨ Mah, (potere) _____ lavorare per un paio di mesi e quello che (guadagnare) _____ (metterlo) _____ da parte. Poi (piacermi) _____ andare in giro per il mondo.

● E così (volere) _____ abbandonare la scuola? Ma non pensi che (essere) _____ un peccato ora che ti manca solo un anno al diploma?

▨ Ma il diploma a che cosa (servirmi) _____? Dopo la scuola (dovere) _____ lavorare in fabbrica e io non ne ho voglia. Sì,… (guadagnare) _____ bene, come figlio del proprietario (avere) _____ tanti vantaggi, ma non è questo il lavoro che (piacermi) _____ fare. (Preferire) _____ essere libero, girare per il mondo e conoscere tante cose nuove.

● Ma questo (potere) _____ farlo durante le ferie!

▨ Mamma, lo sai che quei pochi giorni di ferie non mi (bastare) _____! Io voglio stare via almeno per sei mesi all'anno!

● Sì, ma adesso i soldi per viaggiare dove (trovarli) _____?

▨ Ma non ti ho detto che (lavorare) _____ per un paio di mesi?

● (Lavorare) _____ per un paio di mesi per poi stare in giro un anno? Guarda che i soldi non ti (bastare) _____.

▨ Ma io non (avere) _____ bisogno di molti soldi per vivere. (Dormire) _____ negli ostelli o in casa di amici, non (spendere) _____ tanto, qualche volta (lavorare)_____ un po', insomma (arrangiarmi) _____.

● Mario, guarda che adesso tu hai 17 anni e che ancora chi decide siamo papà ed io, quindi ora (fare) _____ bene ad andare in camera tua e a studiare la matematica. Fra un anno ne riparliamo!

14. Completate le frasi con *migliore, peggiore, maggiore, minore, meglio, peggio, di più, di meno*.

a. In quel liceo si studiava poco, in questo per fortuna si studia _____.

b. Abbiamo cercato casa in periferia perché lì gli appartamenti costano _____.

c. Questo vino non è buono, ma quest'altro è ancora _____.

d. Al *Piccolo Giardino* non si mangia bene. Andiamo alla *Locanda Sole*, lì si mangia _____.

e. Anna ha due figli: il _____ ha 18 anni ed il _____ ne ha 13.

f. Ieri in quel ristorante ho mangiato veramente male, ma in questo ristorante si mangia ancora _____.

g. Chi conosce l'inglese, ha tante possibilità di trovare un lavoro _____.

h. Il mio francese non è molto buono, ma il suo è ancora _____.

15. Completate le frasi con *che* o *cui* + preposizione.

a. Il quartiere _____ vivo è molto tranquillo.

b. Il medico _____ sono stato mi ha consigliato di non fumare.

c. Il film _____ ho visto non mi è piaciuto affatto.

d. Il libro _____ mi hai prestato è molto interessante.

e. Il treno _____ ho viaggiato non ferma a Pisa.

f. Il treno _____ ho preso si è fermato ad Arezzo.

g. Il consiglio _____ mi hai dato è stato prezioso. Grazie!

h. Il corso _____ mi sono iscritto comincia lunedì prossimo.

i. Il corso _____ ho frequentato è stato molto interessante.

Grammatica

1. Costruzione riflessiva dei verbi transitivi

Alcuni verbi transitivi (quei verbi cioè che possono reggere un oggetto diretto) hanno anche la forma riflessiva.

Ho comprato una casa. → **Mi sono** comprato una casa.

In questo caso il pronome riflessivo esprime una partecipazione "affettiva" all'azione.

2. Condizionale presente

Verbi regolari   *Essere*

			-ei
aspettare	→	aspetter-	**-esti**
scrivere	→	scriver-	**-ebbe**
dormire	→	dormir-	**-emmo**
finire	→	finir-	**-este**
			-ebbero

sarei
saresti
sarebbe
saremmo
sareste
sarebbero

Per la formazione del condizionale valgono le seguenti regole:

▷ I verbi in *-are* modificano la *-a-* della desinenza in *-e-*:
   aspettare → aspett**e**rei

▷ Nei verbi *dare, fare* e *stare* non si modifica la *-a-* della desinenza:
   dare → **darei**   fare → **farei**   stare → **starei**

▷ Nei verbi in *-care* e in *-gare* si deve inserire una *-h-* davanti alla desinenza dell'infinito:
   cercare → cer**ch**erei   pagare → pa**gh**erei

▷ I verbi in *-giare* e in *-ciare* perdono la *-i-*:
   mangiare → **mangerei**   cominciare → **comincerei**

▷ Alcuni verbi (soprattutto in *-ere*) perdono la *-e-* dell'infinito:

avere	→	**avrei**	sapere	→	**saprei**
dovere	→	**dovrei**	vedere	→	**vedrei**
potere	→	**potrei**	vivere	→	**vivrei**
andare	→	**andrei**			

▷ Alcuni verbi perdono la *-e-* dell'infinito e trasformano l'ultima consonante della radice in *-r-*:

rimanere	→	rima**rr**ei	tenere	→	te**rr**ei
venire	→	ve**rr**ei	volere	→	vo**rr**ei

3. Uso del condizionale

Il condizionale si usa

▷ per esprimere una possibilità:
I soldi dei miei non ti **basterebbero**.
Con una casa più grande io **avrei** la mia stanza.

▷ per esprimere una richiesta cortese:
Potrebbe portarmi un portacenere?

▷ per esprimere un desiderio:
Vorrei una birra.

▷ per fare una proposta:
Direi di incontrarci fra le sette e le otto.

▷ per attenuare un'affermazione:
Veramente **avrei** un impegno, ma **potrei** rimandarlo.

Altri usi verranno spiegati in *Linea diretta 2*.

4. Altri usi di *ne*

Conoscete già la particella pronominale *ne* (usata come pronome atono) in funzione partitiva.

Quante bottiglie hai portato?
Ne ho portate dieci.

Ne può sostituire anche i complementi introdotti dalla preposizione *di*.

Parliamo **di** questo problema.
Ne parliamo.
Ne abbiamo già parlato tanto.

5. Suffisso accrescitivo

Conoscete già, dalla Lezione 2, i suffissi diminutivi e vezzeggiativi *-ino* e *-etto*.

ragazza   →   ragazz**ina**
scarpe   →   scarp**ette**

Con il suffisso *-one* si formano, partendo in genere dalla forma maschile del sostantivo, gli accrescitivi, spesso con valore peggiorativo (grande + spiacevole).

libro   →   libr**one**
ragazzo   →   ragazz**one**
ragazza   →   ragazz**ona**

Esistono però anche accrescitivi e diminutivi che oggi hanno assunto una forma propria, come per es. *telefonino* (= il cellulare e non «piccolo telefono») o *ombrellone* (= l'ombrello da spiaggia e non «grande ombrello»).

6. Comparativi irregolari

Alcuni aggettivi ed avverbi hanno forme particolari di comparativo che non derivano dal grado positivo dell'aggettivo.

bene →	**meglio**	
male →	**peggio**	
buono →	**migliore**	*anche* più buono
cattivo →	**peggiore**	*anche* più cattivo
grande →	**maggiore**	*anche* più grande
piccolo →	**minore**	*anche* più piccolo

I comparativi *inferiore* e *superiore* non hanno in italiano il corrispondente aggettivo di grado positivo.

Abito al piano **superiore** di   (più alto)
una villetta.

È un vino di qualità **superiore**.   (ottima)

Qui il costo della vita è **inferiore**.   (più basso)

Sentiti a casa tua!

⇨ 6 **1. Completate le frasi con l'imperativo dei seguenti verbi.**

(arrivare) (mettere) (mangiare) (parlare)

(partire) (prenotare) (telefonare)

a. _____ puntuale, altrimenti non ti aspetto.

b. _____ presto, altrimenti trovi traffico.

c. _____ a Massimo dopo le cinque, altrimenti non lo trovi a casa.

d. _____ subito gli spaghetti, altrimenti diventano freddi.

e. _____ una camera silenziosa, altrimenti non dormi.

f. _____ il pesce in frigorifero, altrimenti va a male.

g. _____ più lentamente, altrimenti non capisco.

⇨ 8 **2. Completate le frasi con la seconda persona singolare dell'imperativo e con i pronomi opportuni, secondo il modello.**

> Questi tortellini sono molto buoni. (Provare) *Provali!*

a. Se queste scarpe ti piacciono, (comprare) _____!

b. È un libro interessante. (Leggere) _____!

c. Renato alle 5 è sempre a casa. (Chiamare) _____!

d. I dischi sono lì. Se vuoi, (prendere) _____!

e. Questo vino è ottimo. (Provare) _____!

f. Sandro dà sempre buoni consigli. (Ascoltare) _____!

g. Forse quella gonna ti sta bene. (Provare) _____!

h. È un bel film. (Guardare) _____!

3. Completate le frasi con la seconda persona singolare dell'imperativo.

> divertirsi   iscriversi   mettersi
>
> sentirsi   riposarsi   sbrigarsi   sposarsi

a. Il treno parte fra mezz'ora. _____ , altrimenti lo perdi.

b. Mangia quello che vuoi, prendi quello che vuoi, insomma _____ a casa tua.

c. Oggi hai lavorato troppo. _____ un po'!

d. Perché stai sempre chiuso in casa? Esci, vai al cinema, _____ un po'!

e. Guarda che oggi fa freddo. _____ il pullover pesante.

f. Ora che ti sei diplomato, se vuoi un consiglio, _____ all'università.

g. Hai 40 anni, non sei più un ragazzino. Che aspetti ancora? _____ !

⇨ 10 **4. Completate con la seconda persona singolare dell'imperativo negativo e i pronomi opportuni, secondo il modello.**

> Il forno perde gas, quindi _non usarlo_!

(disturbare)   (bere)   (accendere)   (portare)

(prendere)   (svegliare)   (aspettare)

a. Il televisore non funziona, quindi _____ .

b. Mario non vuole parlare con nessuno, quindi _____ .

c. I bambini dormono, quindi _____ .

d. Il vino ti fa male, quindi _____ .

e. Maria ha già detto che non viene, quindi _____ .

f. La macchina non funziona bene, quindi _____ .

g. Il cane è gia uscito, quindi _____ fuori.

⮕ 11

5. In quali delle seguenti frasi si può usare *tanto* al posto di *perché*?

a. Il pullover non lo prendo perché non fa freddo. ☐

b. Sono stanco perché ho dormito poco. ☐

c. Non prenoto il posto perché sicuramente il treno è vuoto. ☐

d. Sta' tranquillo perché io non dico niente. ☐

e. La casa è fredda perché il riscaldamento non funziona. ☐

f. Sono arrivato tardi perché ho perso l'autobus. ☐

g. Puoi venire quando vuoi, perché io sono tutto il giorno a casa. ☐

h. Non fa niente se il televisore si è rotto, perché ne ho comprato un altro. ☐

i. Sono stanco perché lavoro troppo. ☐

j. Non lo aspetto perché so che viene sempre in ritardo. ☐

⮕ 14

6. Completate con il verbo *dare* alla seconda persona singolare dell'imperativo e con i pronomi opportuni.

a. Quando hai finito il libro, _____ a Carlo.

b. Queste sono le sole chiavi che ho. Non _____ a nessuno. Poi quando parti, _____ alla portiera.

c. Quello che resta del pesce _____ al gatto.

d. C'è ancora un po' di cioccolata, ma non _____ al bambino! È stato male tutta la notte.

e. Ci sono questi vecchi dischi; se non ti occorrono, _____ a chi vuoi.

f. In frigo ci sono delle banane. _____ una al bambino.

g. Guarda, sul tavolo ci sono delle lettere. _____ a Marisa.

h. Se la guida della città non ti serve più,_____ a qualcuno dei tuoi amici.

7. Rispondete alle domande secondo il modello.

> ☐ A chi devo dare *i dischi*? ⚪ *Dalli* a Carla!
> ☐ Con chi vado *al cinema*? ⚪ *Vacci* con Giorgio!

a. ☐ Come faccio gli spaghetti stasera?   ⚪ _____ con il pesto!

b. ☐ L'ascensore non funziona. A chi devo dirlo?   ⚪ _____ al portiere!

c. ☐ A chi devo dare questo pacco?   ⚪ _____ a Luisa!

d. ☐ Quando devo andare in banca?   ⚪ _____ domani!

e. ☐ Quanto tempo posso stare ancora qui?   ⚪ _____ quanto vuoi!

f. ☐ Con chi devo fare l'esercizio?   ⚪ _____ con Mario!

g. ☐ Quando devo andare a comprare il latte?   ⚪ _____ a comprare subito!

h. ☐ A chi devo dare i libri?   ⚪ _____ a Carlo!

8. Completate con l'imperativo di *andare*, *avere*, *dire*, *essere*, *fare* e *stare*, usando, quando è necessario, i pronomi diretti o *ci*.

a. ▮ A che ora ci vediamo?
● Alle 7.30. Ma _____ puntuale, mi raccomando!

b. ▮ Sai che Gino finalmente ha trovato la ragazza che fa per lui?
● Davvero? E com'è? _____ tutto!

c. ▮ Oddio! Ho dimenticato di andare a ritirare i biglietti per il teatro!
● Non importa, _____ domani, tanto la biglietteria è aperta tutta la mattina.

d. ▮ Sono già due anni che cerco, ma non riesco a trovare un lavoro migliore.
● _____ pazienza!

e. ▮ Che cosa prendi? Ti faccio un caffè o preferisci un tè?
● Mah, _____ un caffè, va'!

f. ▮ Allora sei sicuro che posso stare nel tuo appartamento in montagna?
● Certo! _____ quanto vuoi, tanto quest'anno io non ho tempo.

(⇨ 21)   **9. Trasformate le frasi secondo il modello.**

> Quando esci di casa *ti raccomando di tirare* sempre bene la
> porta, *perché* è difettosa e resta aperta.
>
> Quando esci di casa *tira* sempre bene la porta, *altrimenti*
> resta aperta.

a. Se fai la doccia *attenzione a chiudere* bene l'acqua calda perché il rubinetto perde.

   Se fai la doccia _____ , altrimenti _____ .

b. Ogni volta che mangi *ti prego di pulire* subito tutto perché ci sono le formiche, e se
   lasci qualcosa vengono subito.

   Ogni volta che mangi _____ , altrimenti _____ .

c. La sera *ti raccomando di innaffiare* sempre le piante. Se non lo fai regolarmente, con il
   caldo che fa, si seccano.

   La sera _____ , altrimenti _____ .

d. Se usi la lavatrice, prima *ti consiglio di spegnere* lo scaldabagno e viceversa; se sono
   accesi tutti e due, la corrente salta facilmente.

   Se usi la lavatrice _____ , altrimenti _____ .

10. Completate con:

> altrimenti   comunque   come
>   perché   quindi
> insomma   quando   tanto

a. Ho perso le chiavi. E adesso _____ faccio a entrare in casa?

b. La macchina non funziona, _____ possiamo prendere l'autobus, se vuoi.

c. La macchina non funziona, _____ dobbiamo prendere l'autobus.

d. Dobbiamo prendere l'autobus _____ la macchina non funziona.

e. Non sporcare niente, rimetti tutto a posto, _____ fammi trovare
   la casa in ordine!

f. Sbrigati, _____ perdi il treno.

g. Prendi pure il giornale, _____ l'ho già letto.

h. Telefonami _____ arrivi, mi raccomando!

11. Completate la lettera con i verbi all'imperativo.

Caro Massimo,

io e papà partiamo stasera e ritorniamo domenica. La casa è nelle tue mani, mi raccomando di tenerla in ordine. _____ di innaffiare le piante tutte le sere e non _____ dopo di chiudere sempre bene il rubinetto. Quando inviti i tuoi amici, non _____ troppo chiasso. Poi, ogni volta che mangi, _____ bene tutto, anzi, _____ i piatti di carta, così poi non devi lavarli. _____ gentile con i vicini. Insomma: _____ stare tranquilla!

Mamma

ricordarsi

dimenticarsi

fare

pulire / usare

essere / farmi

Al suo ritorno la mamma trova un indescrivibile caos e dice al figlio: «Massimo, il bagno è sporco. Puliscilo!»

Assumete ora il ruolo della mamma e dite a Massimo quello che deve fare.

il bagno sporco	pulire
i letti disfatti	rifare
i fiori secchi	innaffiare
il salotto in disordine	rimettere in ordine
il televisore acceso	spegnere
i piatti sporchi	lavare
la macchina fuori	mettere in garage

12. Da quando Mario è stato lasciato dalla sua ragazza non esce più e sta tutto il giorno davanti alla TV. Che cosa gli consigliereste di fare o di non fare?

Scegliete alcune delle espressioni elencate qui sotto
e formulate dei consigli usando l'imperativo.

cominciare a studiare una lingua

comprare qualcosa di nuovo

ascoltare della buona musica

guardare la TV

parlare con qualcuno

rimanere solo

andare al cinema

uscire con gli amici

cercarsi un'altra ragazza

stare chiuso in casa

leggere un bel libro

fumare tanto

fare un viaggio

bere per dimenticare

prendere dei tranquillanti

pensare troppo a lei

essere triste

fare un po' di sport

13. Cruciverba

Se le risposte sono esatte, nelle caselle evidenziate
si leggerà il nome di un elettrodomestico.

1. Lo è la porta di casa di Giancarlo.
2. Se Massimo non pulisce, arrivano subito.
3. Marisa deve darle alla vicina.
4. Se Marisa non li mangia, vanno a male.
5. Massimo deve tenerlo basso per non disturbare il vicino.
6. Se Marisa non gira due volte la chiave a sinistra, suona.
7. Quello della doccia di Giancarlo perde.
8. Marisa non deve usarlo.
9. Marisa non deve aprirla.
10. Per usarla Giancarlo deve prima spegnere lo scaldabagno.
11. Salta a casa di Marco con scaldabagno e lavatrice accesi.

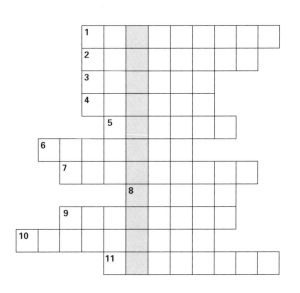

14. Leggete il seguente testo.

Come confondersi con gli stranieri

Tutti i trucchi e i segreti per non dare troppo nell'occhio

• Viaggiare senza dare nell'occhio non è impossibile. Basta qualche piccolo accorgimento per non farsi subito riconoscere come «Italiano». Ecco qualche trucco ... Prima di partire ritagliate la copertina di una guida inglese e incollatela sul vostro libriccino italiano. A seconda se preferite sembrare un tedesco o no, indossate le calze con i sandali. Seguite sempre l'ombrellino colorato che la vostra guida tiene alto verso il cielo, senza fermarvi di fronte ad ogni vetrina. Non pulite il bicchiere con il tovagliolo e non chiedete il conto prima ancora d'aver mangiato la frutta. Sorseggiate sorridendo qualsiasi tipo di bevanda vi venga spacciata per caffè e fingete di non capire tutto sul cambio di valuta.

Ricordate che solo gli italiani mandano per cartolina «un caro saluto». Se volete davvero nascondere la vostra italianità copiate gli americani che riempiono di parole, forse a vanvera, anche lo spazio riservato al francobollo.

(Da *Anna*, 16. 6. 1993)

Date ora gli stessi consigli a un amico che, all'estero, non vuole essere riconosciuto come italiano.

Prima di partire ritaglia ...

_____

_____

_____

_____

_____

_____

_____

_____

Grammatica

1. Imperativo regolare (2ª pers. sing.)

L'imperativo è usato per esprimere un consiglio, un invito o un ordine.
Nei verbi regolari in *-ere* e *-ire* la 2ª persona singolare è identica alla corrispondente persona del presente indicativo.
L'imperativo dei verbi in *-are* ha invece una forma propria.

infinito	presente indicativo	imperativo
-ere / -ire	-i	-i
prendere	Prendi un caffè?	**Prendi** un caffè!
bere	Bevi un prosecco?	**Bevi** quello che vuoi!
dormire	Tu dormi poco.	**Dormi** di più!
pulire	Tu non pulisci mai.	**Pulisci** almeno oggi!
-are	-i	-a
fumare	Tu fumi troppo.	**Fuma** di meno!
ascoltare	Ascolti la radio?	**Ascolta** la radio!

2. Posizione dei pronomi atoni con l'imperativo (2ª pers. sing.)

I pronomi atoni si uniscono all'imperativo.

Senti**ti** a casa tua!   Ho lasciato degli yogurt in frigorifero. Mangia**li**!

3. Imperativo negativo (2ª pers. sing.)

L'imperativo negativo della 2ª persona singolare si forma con l'avverbio *non* seguito dall'infinito del verbo. *Non* precede sempre il verbo.

usare   **Non usare** il forno!   prendere   **Non prendere** la macchina!

I pronomi atoni possono essere uniti all'infinito (che in tal caso perde la -*e* finale) oppure lo possono precedere.

Non usare il forno!   Non usar**lo** perché perde il gas!
                           Non **lo** usare perché perde il gas!

Non prendere la macchina!   Non prender**la** perché non funziona!
                           Non **la** prendere perché non funziona!

Lo stesso vale per i verbi riflessivi.

preoccuparsi   Non preoccupar**ti**, Marco!   alzarsi   Non alzar**ti** tardi come sempre!
              Non **ti** preoccupare, Marco!   Non **ti** alzare tardi come sempre!

4. Imperativo dei verbi irregolari

a. Alcuni verbi che hanno un presente indicativo irregolare, mantengono la stessa irregolarità anche nell'imperativo della 2ª pers. sing.

venire	Quando vieni?	**Vieni** presto!
uscire	Quando esci?	**Esci** con Luigi!
tenere	Cosa tieni in mano?	**Tieni** basso il volume del televisore!

b. I verbi *avere*, *essere* e *sapere* hanno le seguenti forme:
   avere → **abbi**   *essere* → **sii**   *sapere* → **sappi**

c. Alcuni verbi hanno l'imperativo formato da una sola sillaba. Se a queste forme si uniscono i pronomi atoni, oppure le particelle pronominali *ci* e *ne*, la loro consonante iniziale viene raddoppiata (eccezione: *gli*).

andare	**va'**	Marisa, **va'** a vedere un'opera all'Arena!
		Se vuoi andare in centro, **vacci** a piedi, è meglio!
		Se non ci sono più cerini, **vanne** a comprare qualche pacchetto!
dare	**da'**	Quando vai via, **da'** le chiavi alla vicina! Le chiavi **dalle** alla vicina!
dire	**di'**	**Di'** un po', come stai adesso? Se telefona la SNAM, **dillo** subito a mia madre!
fare	**fa'**	**Fa'** attenzione a chiudere bene la porta! **Fammi** il favore di innaffiare le piante!
stare	**sta'**	**Sta'** tranquillo, tanto il forno non lo uso! Ciao e **stammi** bene!

5. Imperativo (2ª pers. plur.)

La forma dell'imperativo alla 2ª persona plurale (voi)
è in genere identica - anche nell'imperativo negativo - a quella
della 2. persona plurale dell'indicativo presente.

ricordare	→	**Ricordate!**	ma:		
prendere	→	**Prendete!**	avere	→	**Abbiate!**
offrire	→	**Offrite!**	essere	→	**Siate!**
spedire	→	**Spedite!**	sapere	→	**Sappiate!**

Come per la 2ª persona singolare anche qui i pronomi atoni vanno
uniti all'imperativo.

Non zittite**vi** improvvisamente quando incontrate un non vedente.
Quando vi separate da lui, salutate**lo** sempre.

6. Le congiunzioni causali *perché* e *tanto*

Notate questi due esempi:

Non usare il forno **perché** perde il gas!
Sta' tranquillo, **tanto** non lo uso.

Nella prima frase il *perché* introduce la spiegazione del motivo
per cui non si deve usare il forno.

Nella seconda frase anche il *tanto* ha la funzione di spiegare qualcosa
(avremmo potuto dire: «Sta' tranquillo perché non lo uso»); in più però
si avverte l'idea di tranquillizzare la persona a cui ci si rivolge,
che viene implicitamente invitata a non preoccuparsi inutilmente.

Ci pensi Lei!

⇨ 4   **1. Completate con l'imperativo formale dei seguenti verbi.**

(fissare)   (riscrivere)   (telefonare)   (cercare)

(informarsi)   (prenotare)   (chiamare)   (spedire)

Ecco tutto quello che c'è da fare oggi. Io sono tutto il giorno dall'avvocato.

Se ha bisogno di me, mi _____ a questo numero.

_____ al computer la lettera per la società P.R.A. e la _____.

_____ nell'archivio il dossier G.U.L.L.

_____ al dottor Ragni.

_____ un biglietto di prima classe sul rapido delle 12.25 per Napoli.

_____ un appuntamento con il dottor Rienzi.

_____ sugli orari e sulle tariffe dei voli Roma-Città del Capo.

Buon lavoro.

⮕ 5   **2. Fate delle frasi secondo il modello.**

> La fotocopiatrice è vecchia / farla riparare / comprarne una nuova.
> *Ormai* la fotocopiatrice è vecchia.
> *Non so se vale la pena di* farla riparare.
> *Forse è meglio* comprarne una nuova.

a. È buio / cercare ancora / continuare domani.

_____

_____

b. È ora di cena / prendere un caffè / cercare un

ristorante.

_____

_____

c. È l'alba / andare a letto / prendere un caffè.

_____

_____

d. Sto meglio / restare a letto / uscire un po'.

_____

_____

e. Ho imparato abbastanza / studiare ancora /

fare due passi.

_____

_____

f. Hai vinto / giocare ancora / smettere.

_____

_____

⮕ 7   **3. Fate delle frasi secondo il modello.**

> telefonare all'ingegner Bertoni – chiedere se ha parlato con il dottor Massi
> *Telefoni* all'ingegner Bertoni e *gli chieda* se ha parlato con il dottor Massi.

a. andare dalla signora Manzi – domandare se è arrivato il fax
b. scrivere una lettera all'architetto – ricordare di mandare una copia del progetto
c. chiamare il tecnico – dire di venire subito
d. mandare un fax alla signora Parini – chiedere se potere tradurre questo contratto
e. parlare con la sua collega – raccomandare di essere puntuale
f. telefonare all'avvocato – chiedere se potere fissarmi un appuntamento per
   dopodomani
g. scrivere alla signora Bini – dire di finire il lavoro al più presto

4. Completate le frasi con i pronomi opportuni.

a. Signora, ____ ho già detto che non posso dir____ niente.

b. Va bene Mario, ____ telefono stasera.

c. Signorina, se vede il signor Arnolfi ____ dica che aspetto la sua relazione.

d. Mario, posso chieder____ una cosa?

e. Signor Di Stefano, posso chieder____ un favore?

f. Per favore signorina, vada dalla signora Agnesi e ____ porti questo dossier.

g. Cosa c'è, Carlo? Non ____ piace il vino?

h. Allora signora, ____ piace il nuovo lavoro?

i. Cari amici, scusate se ____ scrivo così tardi.

j. Marco, se vedi Anna e Ugo di____ che domenica ____ telefono.

5. Che pronome devo scegliere?

Maria ha da poco un nuovo lavoro. Lavora come
segretaria in un ufficio pubblicitario. Il
lavoro è molto stressante. Il direttore ____   la / le
chiama spesso per dar____ sempre molte cose   la / le
da fare. Non ____ lascia quasi mai un momento   la / le
libero. Non solo: ogni settimana lei deve
presentar____ una relazione sul lavoro svolto.   lo / gli
Deve inoltre fissar____ gli appuntamenti e   lo / gli
qualche volta anche accompagnar____ nei suoi   lo / gli
incontri di lavoro. Il direttore è comunque
molto soddisfatto di Maria, tanto che ____ ha   la / le
promesso presto un aumento di stipendio.

(⇨ 8)

6. Completate le frasi con il verbo *servire* e i pronomi opportuni.

a. Mario, _____ la macchina oggi?

b. Usa pure il mio computer se vuoi, tanto non _____.

c. Ragazzi, _____ un aiuto. Chi mi dà una mano?

d. Signora Rossi, _____ questi giornali, o posso prenderli?

e. _____ un consiglio, ma non sappiamo a chi chiederlo.

f. Ragazzi, _____ uno stereo?

g. Carla ha detto che oggi il video non _____?

h. Prendi la bicicletta di Mario, tanto oggi non _____.

i. Mario ha un grosso problema: _____ 20 mila euro, ma non sa dove prenderli.

7. Quali pronomi diretti e quali desinenze mancano nelle risposte?

a. Hai parlato con Marisa?

No, non ancora, le ho telefonato ieri, ma non l'ho trovata in casa.

b. Franco è già partito?

Sì, ____ ho accompagnat__ alla stazione un'ora fa.

c. Avete già visto i Martini?

Sì, ____ abbiamo incontrat__ poco fa.

d. Hai scritto ai vicini?

Sì, ____ ho mandat__ una cartolina.

e. Piero ha telefonato al tecnico?

Sì, ma non ___ ha trovat__.

f. Mario cena con noi stasera?

Sì, ____ ho raccomandat__ di essere a casa alle otto.

g. Paola e Rosa hanno già finito di studiare?

Sì, ____ abbiamo aiutat__ noi.

⇨9

8. Il capufficio dà alla segretaria alcune istruzioni.
Cosa dice la donna alle varie persone?
Trasformate le frasi secondo il modello.

> «Dica al signor Bianchi di ripararci la fotocopiatrice.»
> *«Signor Bianchi, ci ripari la fotocopiatrice per favore!»*

Dica …

a. al signor Bianchi di portare la macchina dal meccanico.

_____

b. alla signora Martini di controllare il programma.

_____

c. al dottor Vitti di fare una telefonata alla società A.R.L.A.

_____

d. alla signorina Dossi di spedire il pacco.

_____

e. al signor Petrini di mettere un annuncio sul giornale.

_____

f. al signor Cascio di mettersi in contatto con il ministero.

_____

⇨12

9. Fate delle frasi secondo il modello.

> chiamare il signor Strozzi
> *«Chiamiamo il signor Strozzi. Anzi, lo chiami Lei».*

a. chiedere il conto

_____

b. ordinare l'archivio

_____

c. prenotare un tavolo

_____

d. correggere la lettera

_____

e. invitare i signori Rossi

_____

f. controllare il bilancio

_____

g. chiamare il signor De Mauro

_____

h. aiutare le colleghe

_____

10. Completate con *a questo punto* oppure *ormai*.

a. È inutile che ci sbrighiamo, _____ il treno è partito.

b. Bene. Tutto è a posto. _____ possiamo partire.

c. A casa non c'è niente da mangiare. _____ vado al ristorante.

d. È tanto tempo che non vedo Mario. _____ sono dieci anni.

e. Sono le 8.30, _____ il film è cominciato. Andiamo a prendere una pizza.

f. Allora, la cena è pronta, gli ospiti arrivano fra mezz'ora. _____

possiamo fumarci in pace una sigaretta.

g. _____ è un'ora che aspetto. _____ io vado via.

h. Io e mia moglie _____ siamo sposati da 15 anni.

i. Vuoi andare ancora una volta a vedere «Casablanca»? Ma no, dai!

_____ lo conosciamo a memoria.

j. Sono le tre di notte e Mario non è ancora ritornato.

_____ io chiamo la polizia.

11. Uniti i diversi elementi formando delle frasi, come nell'esempio.

Chiami il tecnico,	a questo punto	il film è cominciato da mezz'ora.
Scriva subito una lettera,	però	possiamo partire.
Può chiedere alla collega	ormai	è arrivata la lettera?
Non vale la pena di entrare,	anzi	mandi un fax.
Puoi venire quando vuoi,	perché	io adesso non ho tempo.
Le valigie sono pronte:	tanto	sto a casa tutta la sera.
Prenota tu i biglietti	se	gli dica di venire subito.

12. *Le o La*?

Gentile signora Rossi,

abbiamo ricevuto con interesse la Sua offerta di collaborazione

e siamo lieti di informar_____ che già dal prossimo mese siamo in

grado di offrir_____ alcune ore di contratto. _____ preghiamo

quindi di mettersi al più presto in contatto con l'ufficio del

personale della nostra azienda. Lieti di aver_____ presto fra i

nostri collaboratori, _____ porgiamo i nostri più distinti saluti.

13. Completate lo schema.

	Tu	Lei	Voi
scusare	Scusa		
		Prenda	
			Sentite
spedire	Spedisci		
accomodarsi		Si accomodi	
			Riposatevi
andare	Va'		
avere		Abbia	Abbiate
		Dia	Date
			Dite
essere		Sia	Siate
			Fate
stare			
tenere			Tenete
venire		Venga	

14. Completate le frasi con le seguenti forme dell'imperativo.

(dia)   (venga)   (sia)   (tenga)   (abbia)

Le caselle evidenziate danno il nome di una città italiana.

gentile, mi faccia entrare!
un po' di pazienza!
domani! Oggi non ho tempo.
pure il resto!
Mi _____ quelle fotocopie!

15. Le frasi di sinistra sono dirette a un amico/un'amica.
Cosa si dice invece quando si dà del Lei?

a. Mario, vieni presto domani!   *Signor Rossi,* _____

b. Giovanna, tieni tu le chiavi!   *Signorina,* _____

c. Sta' tranquilla, non preoccuparti!   *Signora,* _____

d. Mi raccomando, va' piano con la moto!   _____

e. Le chiavi dalle alla vicina!   _____

f. Dimmi chi ha telefonato!   _____

g. Sii gentile, fammi un favore!   _____

h. Abbi pazienza, è un bambino!   _____

16. La signora Martini lascia alla sua segretaria il seguente messaggio.
Completate le frasi.

Domani vengo ____ ufficio verso le 10.00. ____ raccomando di fotocopiare

gli articoli che sono sul mio tavolo e di dar____ poi al dottor Righi. Le

fotografie invece mi servono ancora, quindi ____ lasci lì. Se chiama il

signor Vanzi, ____ dica di telefonare verso le 10.30 o le 11.00. Ancora una

cosa: telefoni all'Alitalia e mi _____ un volo per Milano per giovedì

sera. Se oggi deve andare via un po' prima, si _____ d'accordo _____

la sua collega. Bene. È tutto. A ____ tardi e buon lavoro!

Grammatica

1. Imperativo formale (*Lei*)

a. Per la formazione dell'imperativo dei verbi regolari valgono le seguenti forme:

verbi in
-*are* come guard*are*   **-i**   →   **guardi**!
-*ere* come legg*ere*   →   **-a**   →   **legga**!
-*ire* come sent*ire*   →   **-a**   →   **senta**!
-*ire* come sped*ire*   →   **-isca**   →   **spedisca**!

b. Con i verbi riflessivi i pronomi precedono l'imperativo.

accomodar*si*   Prego, signora, **si** accomod**i**!
preoccupar*si*   Non **si** preoccupi, dottore!

c. Anche i pronomi atoni precedono il verbo.

Sul mio tavolo ci sono delle lettere: **le** spedis**ca** oggi stesso!

d. I verbi che hanno un presente indicativo irregolare hanno anche un imperativo irregolare. Qui di seguito i più importanti:

andare	→	**vada**	**Vada** dal signor Poli e gli porti la relazione!
avere	→	**abbia**	**Abbia** la cortesia di aspettare due minuti!
dare	→	**dia**	Mi **dia** quella lettera, per piacere!
dire	→	**dica**	**Dica** al signor Guidi di andare in redazione!
essere	→	**sia**	**Sia** puntuale domani, mi raccomando!
fare	→	**faccia**	**Faccia** una fotocopia di questa lettera!
stare	→	**stia**	**Stia** attento a non sbagliare strada!
tenere	→	**tenga**	**Tenga** pure il resto!
venire	→	**venga**	**Venga**, prego, si accomodi!

2. I pronomi con l'imperativo formale

L'imperativo viene espresso in genere senza soggetto. Volendo però dare particolare rilievo alla persona a cui si dà l'ordine/l'esortazione, si aggiunge al verbo anche il pronome personale.

Confrontate le due frasi:

Signorina, scriva al signor Occhipinti, per favore!
Signorina, io oggi non ho tempo di scrivere la lettera, la scriva **Lei**, per favore!

3. Verbi con oggetto diretto e indiretto

Come avete visto più volte nel corso delle precedenti lezioni, in italiano ci sono verbi che reggono un oggetto diretto oppure un oggetto indiretto.
Confrontate le seguenti frasi:

Quasi ogni giorno incontro *Giovanna* alla fermata.
Ogni mese scrivo **a** *Claudia*.

Nella prima frase non c'è alcun elemento fra verbo e oggetto; si parla quindi di oggetto *diretto*.

I verbi degli esempi citati:

incontrare *una persona*

scrivere *a una persona*

Se si vogliono sostituire questi oggetti con un pronome si dirà:

Quasi ogni giorno incontro *Giovanna* alla fermata.
Quasi ogni giorno **la** incontro alla fermata.

Ogni mese scrivo *a Claudia*.
Ogni mese **le** scrivo.

Nella seconda frase, invece, fra verbo e oggetto c'è la preposizione **a**. In questo caso si parla di oggetto *indiretto*.

Per un corretto uso del pronome è quindi molto importante sapere se a un certo verbo segue la preposizione *a* o non ne segue nessuna.

Confrontate anche:

Ieri ho incontrato Paola e **l'**ho invitat**a** alla mia festa. (**la**)

Ho scritto a Paola e **le** ho mandato le fotografie. (**le**)

I pronomi diretti concordano in genere e numero con il participio; quelli indiretti no.

Attenzione! Può avvenire che ad alcuni verbi italiani, i quali reggono un complemento diretto, ne corrispondano altri, in altre lingue, i quali reggono invece un complemento indiretto.

In italiano reggono ad esempio un **oggetto diretto**

aiutare	→	*lo*	aiuto
ascoltare	→	*li*	ascolto
ringraziare	→	*La*	ringrazio
seguire	→	*la*	seguo

In italiano reggono un **oggetto indiretto**

chiedere a	→	*gli*	chiedo
domandare a	→	*le*	domando
telefonare a	→	*Le*	telefono

4. Imperativo alla 3ª pers. plur.

Normalmente in italiano, rivolgendosi a più persone, si usa, anche in una situazione formale, la forma dell'imperativo della 2ª persona plurale. Esistono però particolari situazioni in cui si ricorre alla 3ª persona plurale.

> Accomodatevi!
> Si accomodino!

Per formare l'imperativo alla 3. persona plurale si aggiunge semplicemente alla forma di cortesia (con il Lei) la sillaba -*no*.

Lei	Loro
Scusi!	Scusino!
Prenda!	Prendano!
Senta!	Sentano!
Dica!	Dicano!
Venga!	Vengano!

L'accento rimane sulla stessa sillaba.

Si acc<u>o</u>modi!   Si acc<u>o</u>modino!

5. Congiunzioni che introducono il discorso indiretto

Confrontate i seguenti esempi.

a. «Signor Massi, è arrivato il tecnico.» La segretaria dice al signor Massi **che** è arrivato il tecnico.

b. «Signora Grassi, posso fare una fotocopia?» La segretaria chiede alla signora Grassi **se** può fare una fotocopia.

c. «Signorina Troisi, telefoni subito al tecnico!» La segretaria dice alla signorina Troisi **di** telefonare al tecnico.

In genere il discorso indiretto viene introdotto dalla congiunzione *che*. Quando si riporta una domanda si usa generalmente *se* e, nel caso di un'esortazione, *di* + infinito del verbo.

6. Modi di dire

Non vale la pena di ...
Siamo dolenti di ...
Siamo lieti di ...   espressioni tipiche di una lettera formale

Ci dispiace che ...
Siamo contenti che ...

195

Tavole grammaticali

NUMERALI

Numerali collettivi (Lez. 3)

15	→	quindici	→	una quindicina
30	→	trenta	→	una trentina
60	→	sessanta	→	una sessantina

12	→	dodici	una dozzina
100	→	cento	un centinaio (due centinaia)
1000	→	mille	un migliaio (due migliaia)

AGGETTIVO

Aggettivi invariabili (colori) (Lez. 2)

il cappotto **blu**	i cappotti **blu**
la giacca **rosa**	le giacche **rosa**
il cappotto **antracite**	i cappotti **antracite**
la gonna **grigio scuro**	le gonne **grigio scuro**

Comparativi irregolari (Lez. 6)

buono	→	migliore	(anche più buono)
cattivo	→	peggiore	(anche più cattivo)
grande	→	maggiore	(anche più grande)
piccolo	→	inferiore	(anche più piccolo)

Il superlativo relativo (Lez. 1)

Il superlativo relativo si forma con l'*articolo determinativo + sostantivo + più* (*meno*) + *aggettivo*.

Trastevere è **il quartiere più romano** della Capitale.

Quello è **il supermercato meno caro** della città.

«Quello» (Lez. 2) e «bello» (Lez. 1)

il **quel** un **bel**	pullover	i **quei** dei **bei**	pullover
lo **quello** un **bello**	scialle	gli **quegli** dei **begli**	scialli
l' **quell'** un **bell'**	impermeabile	gli **quegli** dei **begli**	impermeabili
la **quella** una **bella**	giacca delle **belle**	le **quelle**	giacche
l' **quell'** una **bell'**	isola	le **quelle** delle **belle**	isole

Quello e *bello* modificano la seconda sillaba sul modello dell'articolo determinativo.

AVVERBIO

Gradi dell'avverbio (Lez. 6)

	comparativo	**superlativo**
comodamente	più comodamente	comodissimamente
tardi	più tardi	tardissimo
presto	più presto	prestissimo
bene	meglio	benissimo
male	peggio	malissimo
molto	più / di più	moltissimo
poco	meno / di meno	pochissimo

VERBO

Presente indicativo (verbi irregolari)

possedere	possiedo	possiedi	possiede	possediamo	possedete	possiedono
riuscire	riesco	riesci	riesce	riusciamo	riuscite	riescono
spegnere	spengo	spegni	spegne	spegniamo	spegnete	spengono
ottenere	ottengo	ottieni	ottiene	otteniamo	ottenete	ottengono
tradurre	traduco	traduci	traduce	traduciamo	traducete	traducono

Participio passato (verbi irregolari)

accendere	→	**acceso**	promettere	→	**promesso**
assumere	→	**assunto**	risolvere	→	**risolto**
comprendere	→	**compreso**	rompere	→	**rotto**
condividere	→	**condiviso**	smettere	→	**smesso**
correggere	→	**corretto**	soffrire	→	**sofferto**
discutere	→	**discusso**	spegnere	→	**spento**
disdire	→	**disdetto**	trascorrere	→	**trascorso**
invadere	→	**invaso**	tradurre	→	**tradotto**
occorrere	→	**occorso**	vincere	→	**vinto**
prevedere	→	**previsto**			

Passato prossimo dei verbi riflessivi (Lez. 1)

(io)	mi sono	
(tu)	ti sei	riposat**o** / riposat**a**
(lui)		
(lei)	si è	
(Lei)		_____
(noi)	ci siamo	
(voi)	vi siete	riposat**i** / riposat**e**
(loro)	si sono	

Passato prossimo dei verbi servili (Lez. 5)

Maria non **ha voluto** più *studiare*.   (*studiare*: passato prossimo con *avere*)

Maria non **è potuta** *partire*.   (*partire*: passato prossimo con *essere*)

Maria non si **è potuta** *laureare*.   (verbo servile + verbo riflessivo:

Maria non **ha potuto** *laurearsi*.   passato prossimo con *essere* o con *avere*)

Condizionale presente (Lez. 6)

Verbi regolari   **Essere**

aspettare	aspetter	**-ei**	sarei
giocare	giocher	**-esti**	saresti
mangiare	manger	**-ebbe**	sarebbe
leggere	legger	**-emmo**	saremmo
dormire	dormir	**-este**	sareste
finire	finir	**-ebbero**	sarebbero

Verbi che perdono la -e- della desinenza:

avere	→	**avrei**	sapere	→	**saprei**
dovere	→	**dovrei**	vedere	→	**vedrei**
potere	→	**potrei**	vivere	→	**vivrei**
andare	→	**andrei**			

Verbi che raddoppiano la -r-:

rimanere	→	**rimarrei**	tenere	→	**terrei**
venire	→	**verrei**	volere	→	**vorrei**

Imperativo (Lez. 7, 8)

INFINITO	Tu	Lei	Voi

Verbi regolari

INFINITO	Tu	Lei	Voi
scusare	Scusa!	Scusi!	Scusate!
prendere	Prendi!	Prenda!	Prendete!
sentire	Senti!	Senta!	Sentite!
pulire	Pulisci!	Pulisca!	Pulite!
iscriversi	Iscriviti!	Si iscriva!	Iscrivetevi!

INFINITO	Tu	Lei	Voi

Verbi irregolari

INFINITO	Tu	Lei	Voi
andare	Va' / vai!	Vada!	Andate!
avere	Abbi!	Abbia!	Abbiate!
dare	Da' / dai!	Dia!	Date!
dire	Di'!	Dica!	Dite!
essere	Sii!	Sia!	Siate!
fare	Fa' / fai!	Faccia!	Fate!
stare	Sta' / stai!	Stia!	State!
tenere	Tieni!	Tenga!	Tenete!
venire	Vieni!	Venga!	Venite!

Imperativo negativo della 2. persona singolare

usare Non usare il forno! Non usarlo! Non lo usare!

Preoccuparsi Non preoccuparti, Marco!
Non ti preoccupare, Marco!

Il gerundio in proposizioni secondarie (Lez. 5)

causale Essendo di Aosta, parlo perfettamente il francese.

temporale Ringraziando, Vi saluto cordialmente.

Verbi impersonali (Lez. 4)

▷ **bisogna**

Bisogna cambiare a Bologna.

▷ **volerci**

Ci vuole un sacco di tempo.
Ci vogliono 12 ore.

▷ **bastare**

Per avere informazioni sul traffico basta accendere la radio.
Bastano pochi secondi per pagare il pedaggio con la Viacard.

▷ Verbi usati generalmente alla 3. persona singolare o plurale:

piacere, **sembrare**, **occorrere**, **servire**.

PRONOMI

Pronomi personali (Lez. 1)

soggetto	oggetto diretto		oggetto indiretto	
	atoni	*tonici*	*atoni*	*tonici*
io	mi	me	mi	a me
tu	ti	te	ti	a te
lui	lo	lui	gli	a lui
lei	la	lei	le	a lei
Lei	La	Lei	Le	a Lei
noi	ci	noi	ci	a noi
voi	vi	voi	vi	a voi
loro	li / le	... loro	gli / ... loro	a loro

«Ci» in unione con i pronomi diretti e con «avere» (Lez. 2, 3)

Hai il vino rosso?	Sì, **ce l'**ho.	Hai i dischi?	No, non **ce li** ho.
Hai la chitarra?	No, non **ce l'**ho.	Hai le carte?	Sì, **ce le** ho.

Accordo del participio passato con i pronomi diretti (Lez. 3)

Hai portato il vino?   Sì, **l'**ho portat**o**.
Hai portato la chitarra?   Sì, **l'**ho portat**a**.
Hai portato i dischi?   Sì, **li** ho portat**i**.
Hai portato le carte?   Sì, **le** ho portat**e**.

Quante bottiglie hai portato?   **Ne** ho portat**e** dieci.
                                Ne ho portat**a** solo una.

I pronomi relativi «che» e «cui» (Lez. 4, 6)

▷ *Che* è soggetto o oggetto diretto:
  È un lavoro **che** mi piace.
        che svolgo volentieri.

▷ *Cui* è preceduto da una preposizione:
  È un lavoro **di cui** sono stanco.
        da cui dipendo.
        per cui ho dovuto studiare.
        a cui dedico molto tempo.

Glossario delle lezioni

Lo spazio a destra è riservato alla traduzione nella lingua madre. Le parole in grassetto appartengono al vocabolario del Livello soglia. L'asterisco (*) indica che il verbo ha una forma irregolare al presente o al passato prossimo.

I verbi che si coniugano come finire (finisco) sono indicati (-isc). Il punto sotto le parole indica dove cade l'accento.

LEZIONE 1

1
avere voglia
lo **spettacolo**

2
invitare
la commedia musicale
il battesimo
il **matrimonio**
la prima comunione
la critica

3
il **biglietto**
ammalarsi
purtroppo
prendersi un'influenza
l'**influenza**
immaginare
Peccato!

4
farsi male
il **raffreddore**

5
il balletto
l'**opera**
la musica classica
la musica
La vedova allegra
allegro
Il lago dei cigni
L'avaro
l'operetta

6
il giallo

7
musicato
magistralmente
debuttare
l'accoglienza
il **pubblico**
entusiastico
al calare del sipario

il sipario
il secondo
il silenzio
esplodere*
l'applauso

lo spettatore
in piedi
battere le mani
la **mano**
con gli occhi lucidi
l'**occhio**
il **successo**
limitarsi
andare in scena
dovunque
la platea

la vicenda
svolgersi*
il/la protagonista
appunto
amante della vita e
    delle donne
l'amante (m.+f.)
allergico
giorno per giorno
vivere di espedienti
l'espediente (m.)
farsi grande
finire (-isc)
il patibolo
affrontare

la **morte**
la dignità
il personaggio
innamorato
anziano
l'oste (m.)
il boia
infine
il/la complice
eternamente
in cerca di
il dialetto
romanesco
brillante
la **canzone**
il motivo
eseguito
romano
la **capitale**
accogliere
la rappresentazione
morire*
per quale ragione

8
il romanzo
il monumento

il **posto**

GLOSSARIO

(9)
succedere
Accidenti!
la cugina
per forza
pregare
promettere*
il **regalo**

(10)
badare
la musica barocca
piemontese
la cassata siciliana

il tango

(11)
il biglietto di auguri

(12)
l'orecchino
regalare
scattare
in occasione di
avvenire*
emozionato
il suocero
la suocera
in braccio
la nuora
la madrina
il padrino
il genero
la cognata
è veramente un amore
l'**amore** (m.)

(14)
il **fiore**
la **pianta**
l'**orologio**
la stilografica

(16)
prima
anzi
fare un favore
il **favore**
Figurati!

figurarsi

(17)
l'auditorium
il concerto
la conferenza
il botteghino
il comizio

(18)
dovere*

il tavolino
lo spazio
il latino
rinfrescare
la traduzione
il telefonino
la tassa di proprietà
almeno
qualcuno

(20)
la cortesia

(21)
che ne dici ...?
fare una nuotata
proporre*
accettare
rifiutare
la proposta

LEZIONE 1 - ESERCIZI

(5)
il liceo
il **mondo**
l'alunno
studioso
la classe

(7)
il romanzo poliziesco
alternativo

(11)
sposarsi
la **gioia**

(14)
il vaso
il **quadro**
la **scarpa**
lo stivale

LEZIONE 2

(1)
la **taglia**
portare
l'**abitudine**
il **pullover**
la **lana**
puro
la maglietta
il **cotone**
il guanto
il cachemire
il fazzoletto
la **scarpa**

la **pelle** _____
il camoscio _____
il **cappello** _____
alla moda _____
l'accessorio _____
la fibra sintetica _____
la sciarpa _____
il **colore** _____
vivace _____
la **moda** _____
il capo _____
mettere _____
la scarpa da ginnastica _____
il **fazzoletto di carta** _____
la **stoffa** _____

②
il negozio di abbigliamento _____
il paio di pantaloni _____
il **paio** (_pl._ le paia) _____
i pantaloni _____
blu _____
grigio _____
marrone _____
verde _____
nero _____
beige _____
il camerino _____
lungo _____
largo _____
stretto _____
corto _____
la cravatta _____
la cintura _____
la **camicia** _____
lavare a secco _____
conservare _____
lo **scontrino** _____
pronto _____

③
quello _____
la **vetrina** _____
il **modello** _____
gli shorts (_pl._) _____
lo scialle _____
l'**impermeabile** _____
la **gonna** _____
rosa _____
giallo _____
a quadri _____
a righe _____
celeste _____
rosso _____

④
mocassini _____
il **numero** _____
la **misura** _____

⑤
la **giacca** _____
il **cappotto** _____

lo stivale _____
il sandalo _____
il **costume da bagno** _____

⑦
andare bene _____
accorciare _____
dimenticare _____
il **prezzo** _____
d'altra parte _____

⑧
stringere _____
allargare _____
allungare _____
la manica _____
il centimetro _____

⑨
il capo di abbigliamento _____
il difetto _____
la modifica _____

⑩
il lino _____
il foulard _____
la seta _____
di cammello _____

⑪
modificare _____
lo/la stilista _____

⑫
vendere _____
vero _____
l'**affare** _____
ore pasti _____
usato pochissimo _____
verde salvia _____
il camoscio _____
cadauno _____
l'abito da sposa _____
l'abito _____
la sposa _____
indossato per tre ore _____
a 600 euro tratt. (= trattabili) _____

serale _____
il giubbotto _____
foderato in pelo sintetico _____
lo **stato** _____
le scarpe in vitello _____
le scarpe da donna _____
il tacco _____
la borsetta _____
la tracolla _____
il cuoio _____
seminuovo _____
la giacca a vento _____
la tuta (da) sci _____
la tuta _____

l'**annuncio** _____
il tessuto _____
il **materiale** _____

⑬
essere contrario a ... _____

⑭
un pochino _____
robusto _____
il collo a V _____
il girocollo _____
il **collo** _____
antracite _____
scuro _____
chiaro _____
bordò (*anche* bordeaux) _____
la tinta _____
sia ... che ... _____
cambiare _____

⑮
la manica _____
la cintura _____
elasticizzato _____
la tasca _____
il pigiama _____
in tinta unita _____
la **borsa** _____
sportivo _____
il **calzino** _____

⑯
giustificare _____
convincere _____

⑰
la storia illustrata _____

⑱
in arte _____
oltre a _____
il cantante _____
l'autore (*m.*) _____
il racconto _____
l'avventura _____
il diario di viaggio _____
il diario _____
capitare _____
il walzer _____
l'autunno _____
il giorno dopo _____
mollare _____

lo stile _____
il film porno _____
mitico _____

identico _____
finto _____
il **mondo** _____
mettersi a ... _____
l'umanità _____

stazionare _____

notare _____
discreto _____
il ragazzino _____
adolescente _____
insomma _____
il/la teenager _____
aggirarsi _____
vestito _____
a festa _____
gessato _____
lo smoking _____
il papillon _____
lucido _____
la ragazzina _____
il vestitino _____
la **spalla** _____
nudo _____
il brufolo _____
l'abitino da sera _____
l'acconciatura _____
pensato _____
specchiata e rispecchiata _____

la pancina _____
sporgente _____
sotto _____
attillato _____
insolito _____
avvicinare _____
il gruppetto _____
il villaggio globale _____
e compagnia bella _____
come mai _____
addirittura _____
peggiore _____
la pronuncia _____
mettersi giù _____
meglio _____
in senso classico _____
andarsene _____
viennese _____
originale _____
commuoversi _____
il **cuore** _____
pieno _____
la **gioia** _____

⑲
riportare _____
l'indicazione _____
il rigo _____
il vocabolo _____
presente _____
contrassegnato _____
il gergo giovanile _____
il sinonimo _____

⑳
il diminutivo _____
definire _____

㉑

la punteggiatura _____

㉒
l'occasione _____
vestirsi _____
in modo particolare _____
_____
sentirsi a proprio agio _____
la **tradizione** _____
vivo _____
coltivato _____
il **paese** _____
sembrare _____
giusto _____
coltivare _____
recuperare _____

LEZIONE 2 - ESERCIZI

⑥
la manica _____
il bottone _____

⑨
il tenore _____

LEZIONE 3

①
l'**opinione** (f.) _____
il comportamento _____
il carnevale _____
sentire _____
dare ai nervi _____
la Pasqua _____
festeggiare _____
il Natale _____
la **causa** _____
lo stress _____
San Silvestro _____
far baldoria _____
_____
fare dei propositi _____
il proposito _____
mantenere _____

②
la padrona di casa _____
il tacchino _____
lo zampone _____
il minestrone _____
il cotechino _____
la lenticchia _____
ripieno _____
il capitone _____
il cappone _____
l'**ospite** (m.) _____
il **paese** _____

③
qualcuno _____
nessuno _____
dare una mano _____
scaricare la macchina _____
scaricare _____
aiutare _____
apparecchiare la tavola _____
apparecchiare _____
la **tavola** _____

⑤
nel caos più completo _____
il caos _____
completo _____
rotto _____
sporco _____
fare le valigie _____
mettere in ordine _____

⑥
per prima cosa _____
mettere* _____
la tovaglia _____
la **forchetta** _____
il **coltello** _____
la **minestra** _____
il **cucchiaio** _____
la posata _____
cioè _____
la forchettina _____
neanche _____
mancare _____
la caraffa _____
la saliera _____
il portapepe _____
l'oggetto _____

⑦
crederci _____
la chitarra _____
il **disco** _____
la **carta** _____

⑧
il **pane** _____
il biscotto _____
lo stereo _____
la **cassetta** _____
la grappa _____

⑨
adorare _____
la quindicina _____
sperare _____
il **programma** _____
il cenone _____
la tombola _____
Oh Dio! _____

⑩
la **tazzina** _____
significare _____

la decina _____
la dozzina _____
la ventina _____
la trentina _____
il centinaio (*pl.* centinaia) _____
il migliaio (*pl.* migliaia) _____

(12)

trascorrere* _____
diversamente _____
l'**attesa** _____
allo scadere delle 24 _____
tirare fuori _____
brindare _____
a questo punto _____
ammazzare _____
il razzo _____
la girandola _____
riempirsi _____
diffondersi _____
curioso _____
l'usanza _____
accogliere _____
addosso _____
le mutande *(pl.)* _____
l'albero di natale _____
l'**albero** _____
insieme _____
il pacchetto _____
contenere* _____
gli slip *(pl.)* _____
i boxer *(pl.)* _____
rosso fiamma _____
la fiamma _____
il **modo** _____
augurarsi _____
la **tradizione** _____
andare perduto _____
gettare _____
la **finestra** _____
celebrare _____
vuoto _____
rovesciare _____
chissà _____
l'**automobile** *(f.)* _____
il **vicino** _____
prevedere* _____
fisso _____
regnare _____
accompagnarsi _____

gustoso _____
il legume _____
nella fantasia popolare _____
la **fantasia** _____
popolare _____
rappresentare _____
quanto più ... tanto più ... _____
ricco _____
diventare _____
nel corso _____
abbandonare _____
cattivo _____

l'**abitudine** _____
accendere* _____
la **sigaretta** _____
smettere* _____
fumare _____
provare _____
ben pochi _____
riuscire* _____
insieme a _____
la **salute** _____
andare in fumo _____
il **fumo** _____
la **speranza** _____
la **biancheria** _____

(13)

la **dieta** _____

(15)

c'è proprio bisogno che ... _____
volerci _____

sbrigarsi _____
farcela _____
in fretta _____
visto che ... _____
occorrere _____
il **pacchetto** _____
la **scatola** _____
il cerino _____

(17)

concentrarsi _____
pesante _____
fare uno sforzo _____
la salita _____
ripido _____
cambiare marcia _____

Basta! _____
stringere i denti _____

(18)

la **salumeria** _____
profumeria _____
il **dentifricio** _____
lo spazzolino _____
la cartoleria _____
la **penna** _____
la gomma _____
la merceria _____
il filo _____
l'ago _____
il cerotto _____
macelleria _____
la carne macinata _____
tabaccheria _____
il **francobollo** _____
l'**accendino** _____

(19)

smemorato _____

accorgersi* _____

20
immaginare _____
che risate _____
la risata _____
l'alba _____
_____
dire addio _____
iniziare _____
in bellezza _____
la bellezza _____

21
l'estate _____
insopportabile _____
la primavera _____
stirare _____

LEZIONE 3 - ESERCIZI

5
il cassetto _____

9
riaddormentarsi _____

10
diffuso _____
il passatempo _____
estremamente _____
richiedere _____
l'abilità _____
la **fortuna** _____
il **legno** _____
la **plastica** _____
il cartellone _____
il cartone _____
con 90 numeri stampati _____
_____
stampato _____
la cartella _____
dove sono riportati 15 _____
  numeri
secondo un preciso criterio _____
  matematico
con i soldi ottenuti _____
estrarre* _____
ad alta voce _____
coprire* _____
la buccia _____
il mandarino _____
in linea orizzontale _____
gridare _____
ritirare _____
divertente _____
l'atmosfera _____
spiritoso _____
il significato _____
significare _____
la **paura** _____

la **gamba** _____
popolare _____
esperto _____
esclusivamente _____

12
le nozze *(pl.)* _____
l'anniversario _____
il panettone _____
_____
la maschera _____

13
gentile _____

14
la **notizia** _____

15
il visto _____
il certificato _____
il **documento** _____
la grammatica _____
il vocabolario _____
il **permesso di soggiorno** _____

17
l'inverno _____

LEZIONE 4

1
alcuni / alcune *(pl.)* _____
l'informazione *(f.)* _____
l'offerta _____
il piacere _____
la Divisione Passeggeri _____
_____
la comodità _____
la **compagnia** _____
la divisione trasporto _____
  regionale
programmare _____
la linea secondaria _____
la **linea** _____
il territorio _____
incontaminato _____
raggiungibile _____
il mezzo di trasporto _____
l'**ambiente** *(m.)* _____
la locomotiva a vapore _____
la carrozza d'epoca _____
la **carrozza** _____
messo a nuovo _____
consentire _____
ricevere _____
il servizio ferroviario _____
nonché _____
l'acquisto _____
il biglietto ferroviario _____
la **nave** _____

benvenuto _____
la crociera _____
la lunghezza _____
massimo _____
la larghezza _____
il ponte _____
il salone _____
squisito _____
la portata _____
la sala di lettura _____
la palestra _____
la boutique _____
la **cabina** _____
rifinito nei dettagli _____
il dettaglio _____
il collegamento _____
il **volo** _____
comprendere* _____
l'agenzia di viaggi _____
l'**agenzia** _____
valido _____
la scoperta _____
spostarsi _____
la mongolfiera _____

②
durare _____
il **biglietto** _____

③
l'imbarco _____
quanto ...? _____
volerci* _____
la **partenza** _____
occorrere _____

④
noleggiare _____
la vettura _____
significativo _____
breve _____
la tariffa _____
economico _____

⑤
la visita medica _____
la visita della città _____
l'iscrizione _(f.)_ _____

⑥
la cartina _____
il punto di partenza _____
il punto di arrivo _____

⑦
il **traffico** _____
convenire* _____
servire _____
direi _____

⑧
cambiare treno _____
vietato _____

diversi / diverse _(pl.)_ _____

⑨
il vagone letto _____
il vagone ristorante _____
la mensa _____
la prima classe _____
la **classe** _____

⑩
lo **scompartimento** _____
il fumatore _____
il **posto** _____
il **finestrino** _____
il **corridoio** _____
la **cuccetta** _____
il volo di linea _____
dentro _____
fuori _____
soffrire* _____
il **mal di mare** _____
il lusso _____
la necessità _____
fare rifornimento _____
la preferenza _____
in comune _____

⑪
l'**autostrada** _____
a pagamento _____
il pagamento _____
ritirare _____
il casello _____
l'entrata _____
il pedaggio _____
l'uscita _____
la **coda** _____
l'autoveicolo _____
precedere _____
evitare _____
bastare _____
accendere* _____
trasmettere _____
la trasmissione _____
il lavoro in corso _____
il **tratto** _____
sintonizzarsi _____
la viabilità _____

la **scelta** _____
la galleria _____
unico _____
frequenza _____
l'automobilista _(m.+f.)_ _____
avere fretta _____
la **società** _____
cosiddetto _____
lo scansafila _____

la tessera magnetica _____
servire _____
il **denaro** _____

avere problemi di resto _____

la corsia preferenziale _____
il **secondo** _____
inserire *(-isc)* _____
la colonnina _____
una voce guida nelle _____
  operazioni _____
applicare _____
l'apparecchio _____
rilevare _____
a ogni passaggio _____
l'ammontare del pedaggio _____
addebitare _____
il **conto corrente** _____
digitare _____

⑫
stressante _____
il socio _____
secondo voi _____
secondo _____

⑬
metterci* _____
l'urgenza _____
in effetti _____
dare un colpo di telefono _____
regolare _____
entro _____
il depliant _____
l'albergo convenzionato _____
la categoria _____

⑭
affollato _____
la **barca** _____
aceto balsamico _____
l'annata _____
la **posizione** (delle camere) _____

⑮
il catalogo _____
la **guida** _____

⑰
parere* _____

⑱
essere costretto _____
stavolta _____
la macchina a noleggio _____
eccetera _____
essere legato _____
la **sosta** _____
trasportare _____
l'oggetto _____
acquistare _____

⑲
lo scrittore _____
la jeep _____

all'improvviso _____
fermarsi _____
a causa di _____
portare _____
mettersi in cammino _____
a un certo punto _____
la caserma _____
il colonnello _____
fare l'autostop _____
il villaggio _____
curare _____
malato _____
il **fiume** _____
l'indigeno _____
il bivio _____

⑳
bloccarsi _____
non passava anima viva _____

l'anima _____
lussuoso _____
il prelato _____
la missione _____
l'assistenza _____
l'ospitalità _____

il prete _____
rivelarsi _____
l'esperto _____
accogliente _____
essere in imbarazzo _____
l'offerta _____
offendersi* _____
discutere* _____

africana _____
consegnare _____
salato _____
europeo _____
il titolo _____
l'azione _____
concluso _____
in corso _____

la descrizione _____
l'incontro _____
lo stato d'animo _____

㉑
capitare _____
la disavventura _____

LEZIONE 4 - ESERCIZI

②
il supplemento _____

③
il mobile _____

211

GLOSSARIO

④
la crostata _____
la società _____

⑦
il motorino _____

⑪
la psicologia _____

⑮
farsi capire _____
a gesti _____
il pullman _____
il fan _____
improvvisato _____

⑯
la circostanza _____
frequente _____
il centro _____
attendere _____
la rete ferroviaria _____
incoraggiare _____
il trasporto _____
favorire *(-isc)* _____
raggiungere _____
cosiddetto _____
la corriera _____
efficacemente _____
sostituire *(-isc)* _____
risentire _____
in compenso _____
generoso _____
al dente _____
in fondo _____
il ristorante di lusso _____

LEZIONE 5

①
lo **studio** _____
la laurea _____

il diploma di maturità _____
il liceo _____
classico _____
il liceo artistico _____
il liceo scientifico _____

il liceo linguistico _____

il liceo psico-pedagogico _____

l'istituto tecnico _____
il turismo _____
il geometra _____
industriale _____
agrario _____

commerciale _____
nautico _____

l'istituto professionale _____
l'istituto d'arte _____
la scuola media _____
la licenza _____
la scuola dell'obbligo _____
la scuola elementare _____
la scuola materna _____

②
il colloquio _____
il colloquio di lavoro _____
sposato _____
dinamico _____
affidabile _____

abile _____
positivo _____
intendere _____
fissare _____

③
la ricerca di collaboratori _____
la ricerca _____
il collaboratore _____
lo studio legale _____
la compagnia di assicurazioni _____
la compagnia _____
l'assicurazione *(f.)* _____
ricercare _____
il neodiplomato _____
avviare _____
l'attività _____
la liquidazione danni _____
il danno _____
dettagliato _____
il curriculum _____
l'emittente radiotelevisiva _____

locale _____
il collaboratore _____
richiedesi _____
richiedere* _____
massimo _____
massima serietà _____
la serietà _____
la disponibilità _____
massimo ventottenne _____
militesente _____
la richiesta _____
il mobilificio _____
la collaboratrice _____
la promozione _____
la provincia _____
l'età _____
automunito _____
l'arredamento _____
la conoscenza _____
la facilità di contatto _____
umano _____
l'ambizione *(f.)* _____

professionale _____
il dinamismo _____
l'opportunità _____
l'ambiente *(m.)* _____
giovane _____
creativo _____
continuo _____
l'espansione *(f.)* _____

④
l'inserzione *(f.)* _____
pubblicare _____
l'offerta di lavoro _____
l'offerta _____
il servizio militare _____
essere diplomato _____
impersonale _____

⑤
È permesso? _____

accomodarsi _____
presentarsi _____
diversi/diverse _____
cioè _____
il **giovane** _____

⑥
diplomarsi _____
incontrarsi _____
laurearsi _____
riunirsi _____
la facoltà _____
la medicina _____
la chimica _____
il **professore** _____
discutere* _____

⑦
l'ex compagno di scuola _____
il compagno di scuola _____

⑧
l'**esperienza** _____
particolare _____

la matematica _____
vincere* _____
la borsa di studio _____
quindi _____
a un certo punto _____
continuare _____
la **guida turistica** _____

⑨
mettersi in proprio _____
la **verità** _____
l'**affitto** _____
il monolocale _____

⑩
il curriculum vitae _____

il luogo di nascita _____
il luogo _____
la **data di nascita** _____
la **data** _____
la **nascita** _____
lo stato civile _____
coniugato _____
l'ambasciata _____
la posizione militare _____
il servizio militare _____
prestare _____
il battaglione _____
conseguire _____
la votazione _____
la **conoscenza** _____
discreto _____
la referenza _____
disponibile _____
su richiesta _____
la richiesta _____

⑬
sposarsi _____
trasferirsi _____

⑮
il capo del personale _____
il candidato _____

⑯
in riferimento a _____
permettersi _____
presentare domanda _____
l'impiego _____
per l'impiego in questione _____
l'aiuto receptionist *(m. + f.)* _____
il **ritorno** _____
perfettamente _____
correttamente _____
essere in grado di _____
la corrispondenza
  commerciale _____
l'attenzione *(f.)* _____
salutare _____

⑱
suonare _____
guidare _____
nuotare _____
il **computer** _____
stenografare _____
inviare _____
lavorare a maglia _____
cucire _____
andare a cavallo _____

⑲
sottoporre* _____
assumere* _____
il/la partecipante _____
porre* _____
inventare _____
la guida _____

GLOSSARIO

irritare _____
in continuazione _____
il comportamento _____
rimproverare _____
ignorare _____
soddisfatto _____
il trattamento _____
protestare _____

immediatamente _____
il souvenir _____
rubare _____
avvicinare _____
rimettere a posto _____
fare finta di _____
avvertire _____
rifiutare _____
alloggiare _____
invitare _____
avere pazienza _____
disposto _____
cambiare _____
scoprire* _____
controllare _____
scherzosamente _____
confermare _____

(20)
il brano _____
tratto da _____
ricordarsi _____
l'attore _____
l'episodio _____
la carriera _____
il commendatore _____
il ricordo _____
commuovere _____
l'ingenuità _____
davvero _____
tormentare _____

la dattilografa _____
Figuriamoci! _____

figurarsi _____
ogni tanto _____
andare a trovare _____
il **biglietto** _____
pazientemente _____
solito _____
girare _____
vedrai _____
povero _____
adorare _____

(21)
ottenere _____
ricorrere a qc. _____
la pratica _____
la raccomandazione _____
diffuso _____
il **vantaggio** _____
grazie a _____

sognare _____
il **sogno** _____
realizzare _____

LEZIONE 5 - ESERCIZI

(3)
la **scusa** _____
dare un permesso _____

(5)
è nato _____
nascere _____
crescere _____
definirsi _____
milanese di adozione _____
da ragazzo _____
il risultato _____
la giurisprudenza _____
la svolta _____
abbandonare _____
la compagnia _____
il regista cinematografico _____
il **successo** _____
l'**amicizia** _____
l'**amore** _(m.)_ _____
la complicità _____
l'allegria _____
fare un ritratto _____

i soliti giocosi arruffoni _____

a volte _____
triste _____
geniale _____
sognatore _____

(6)
licenziarsi _____
il reparto amministrativo _____
il responsabile _____
l'ufficio contabilità generale _____
S.p.A. (società per azioni) _____

(7)
cittadinanza _____
lo stato civile _____
celibe _____
nubile _____
vedovo _____
separato _____
divorziato _____
il servizio militare _____
assolto _____
la residenza _____
il titolo di studio _____
ottimo _____
sufficiente _____
il soggiorno all'estero _____

(8)

il cantautore _____
appassionarsi _____
il jazz _____
iniziare _____
la **metà** _____
la hit parade _____
la coppia _____
interpretato _____
uscire* _____

intitolato _____
segnare _____
il debutto _____
il protagonista _____
il compositore _____
astigiano _____
un crescendo di successi _____
l'album (m.) _____
i media (pl.) _____
la recensione _____
intanto _____
conquistare _____
la tournée _____
il tour _____
l'oro _____
il platino _____
successivo _____
confermare _____
la maturità _____
creativo _____

⑨

soddisfatto _____
chiacchierare _____

⑬

il **meccanico** _____
guadagnare _____
permettersi _____

LEZIONE 6

①

ideale _____
la superficie _____
almeno _____
il metro quadrato _____
il metro _____
la camera da letto _____
l'edificio _____
l'edificio d'epoca _____

②

la coppia _____
l'abitazione (f.) _____
la situazione economica _____
la situazione _____
economico _____
attuale _____

③

pensare _____
il buco _____
esagerare _____
l'appartamentino _____

④

enorme _____
il boccale _____
costoso _____
la villa _____
la sbronza _____

⑤

il quadro _____
la crosta _____
il bidone _____
la pizza _____
intellettuale _____
lo straccio _____
fuori moda _____
il mattone _____
pesante _____

⑥

storico _____
l'affresco _____
la residenza _____
signorile _____
essere in vendita _____
la vendita _____
occupare _____
il piano nobile _____

misurare _____
trovarsi _____
lungo _____
la strada principale _____
la porta _____
la piazzetta _____
verso il mare _____
il **palazzo** _____
la cittadina _____
significativo _____
essere posto _____
il balcone _____
essere composto _____
comprendere* _____
l'ingresso _____
il salone _____
il soggiorno _____
la stanza da letto _____
il locale _____
per renderlo rispondente _____
  alle esigenze di oggi _____

l'esigenza _____
alcuni lavori di _____
l'ammodernamento _____
in particolare _____
i servizi _____
utile _____
la piantina _____

descrivere* _____

(7)
la porta _____
la maglia _____
pesante _____
la boxe _____
l'ombrello _____
la barca _____
il pacco _____

(8)
il proprietario _____
avere bisogno _____
urgentemente _____
ovviamente _____
modesto _____
pensarci su _____
trattare _____
cedere _____
illustrare _____
il pregio _____
mostrare _____
inferiore _____

(9)
aprire un mutuo _____
il mutuo _____
lo **studio** _____
meglio _____
il sacrificio _____
fare sacrifici _____

(10)
il processo _____
il capufficio _____
entro _____
superare _____

(11)
trasferirsi _____
costare un occhio della testa _____
fare la fila _____
investire _____
l'azione _(f.)_ _____
rischiare _____
superiore _____

(12)
doppio _____
il **salotto** _____

il **terrazzo** _____
perfino _____
lo sgabuzzino _____
pulire _(-isc)_ _____
la colf _____
  (collaboratrice familiare) _____
nervoso _____
riparlare _____
il **discorso** _____
l'investimento _____
migliore _____

appunto _____

(13)
approfittare _____
la gentilezza _____
dubitare _____
la sincerità _____
godere _____
il **mal di testa** _____
rispondere di qc. _____

la **pulizia** _____

(15)
arredare _____
sistemare _____
la cucina a gas _____
il lavandino _____
il comodino _____
il letto matrimoniale _____
l'**armadio** _____
la scrivania _____
la **sedia** _____
il letto a castello _____
la libreria _____
la cassettiera _____
la lampada _____
il tappeto _____
il **divano** _____
la **poltrona** _____
il bidet _____
il water _____
il lavabo _____
lo scaffale _____

(16)
maggiore _____
il cognato _____
occuparsi _____
il socio _____
versare _____
certo _____
il capitale _____
diventerei gestore _____
  del mio lavoro _____
il gestore _____

l'orario rigido _____
rigido _____
il guadagno _____
maggiore _____
avere paura _____
la **paura** _____
rischiare _____
le ferie _(pl.)_ _____
preoccuparsi _____
momentaneamente _____
essere disposto a ... _____
dal momento che ... _____
dipendere _____
al mio posto _____
prezioso _____

abbracciare _____
lo svantaggio _____
il lavoro in proprio _____

comportare rischi _____
il **rischio** _____
affrontare un rischio _____
neanche _____
quanto a _____
rivolgersi _____
generoso _____
insomma _____

in fondo _____
peggio _____
riflettere _____
la **decisione** _____
condividere* _____
peggiore _____
di meno _____
minore _____

(17)
unico _____
la **situazione** _____
economico _____
critico _____
decisamente _____
mediocre _____

(18)
la/il conoscente _____
la **periferia** _____
conveniente _____
il giardinaggio _____
lo spazio _____
la tranquillità _____
pulito _____
il coniuge _____
la rata _____
contrario _____
essere contrario a qc. _____

il trasferimento _____
l'estero _____
il **periodo** _____
l'avanzamento di carriera _____
a disposizione _____
la **ditta** _____
il **clima** _____

LEZIONE 6 - ESERCIZI

(1)
la mangiata _____
fare una pazzia _____

(6)
lo **spazio** _____
la rata _____
pagare a rate _____

isolato _____

(8)
il capitale _____
assumere* _____
la **direzione** _____
la **società** _____

(13)
mettere da parte _____
abbandonare _____
la fabbrica _____

LEZIONE 7

(1)
Sentiti a casa tua! _____
l'apparecchio _____
ritenere* _____
indispensabile _____
superfluo _____
possedere* _____
il condizionatore d'aria _____
il ventilatore _____
il frullatore _____
la grattugia elettrica _____
elettrico _____
l'aspirapolvere *(m.)* _____
la lavastoviglie _____
il lettore di cd _____
il lettore di dvd _____
il videoregistratore _____
il forno a microonde _____
la radiosveglia _____

(2)
avere intenzione di _____
l'intenzione *(f.)* _____
improvvisamente _____
la linea telefonica _____
occupato _____
fuori stanza _____
sbagliare numero _____
suonare _____
l'allarme *(m.)* _____
girare _____
verso destra/sinistra _____
il riscaldamento _____
la **lavatrice** _____
ripartire _____

(3)
l'**attimo** _____
comunque _____
la vicina _____
il **vicino** _____

(4)
l'intonazione _____
giusto _____
funzionare _____

217

(5)
lo yogurt
altrimenti
andare a male

(6)
il video
la videocassetta
il cassetto

(8)
spento
rovinarsi

(9)
per carità!
il **gas**
perdere il gas
tanto
rotto

(10)
il pianoforte
protestare

(11)
arrabbiato
tenere*

(12)
tranquillizzare

(14)
la **macchina fotografica**
il **portiere**

(15)
la **pazienza**
tradurre*

(17)
tenere basso il volume
il **volume**
gentile

(18)
l'**esperienza**
rifare***

(19)
il **biglietto**
benvenuto
brevemente
augurare
il **soggiorno**
la raccomandazione
tirare
difettoso
il **rubinetto**
perdere***
pulire

la formica
lasciare in giro
invadere***
prima
spegnere*
lo scaldabagno
viceversa
la **corrente**
la corrente salta

raccomandare
innaffiare
regolarmente
seccarsi
lo stereo
pure
inserire (-isc)
buon divertimento!
trascrivere *
l'imperativo
presente
formulare

(20)
collocare

(22)
osservare
il **marciapiede**
gettare
i rifiuti (pl.)
per terra
gridare
sporcare
non rispettare la fila
la **pubblicità**
il **progresso**
la difesa
indifeso
non vedente
il percorso ad ostacoli
per colpa nostra
la **colpa**
semplice
la norma
la civiltà
la norma di civiltà
che spesso non vengono
   osservate
avere dieci decimi
eccone alcune
ostruire (-isc)
portare in giro
il **cane**
la paletta
inutile
orientarsi
l'udito
zittirsi
rendersi invisibile
afferrare
il **braccio** (pl. le braccia)
separarsi

attenti a ... _____
il palo _____
lo scalino _____
il sorriso _____
il cenno della testa _____
il cenno _____
la **testa** _____
non servire _____
il buon senso _____

avrete già fatto molto _____

prestare _____
l'**occhio** _____
la **mano** *(pl.* le mani) _____
la **voce** _____
l'associazione _____
ricordare _____
la cortesia _____
il guaio _____
il cieco _____

㉓
il portatore di handicap _____
l'handicap *(m.)* _____

LEZIONE 7 - ESERCIZI

⑪
il chiasso _____
disfatto _____

⑫
il tranquillante _____

⑭
confondersi _____
il trucco _____
il **segreto** _____
dare nell'occhio _____
l'accorgimento _____
ritagliare _____
la copertina _____
la **guida** _____
incollare _____
il libriccino _____
a seconda se ... _____
indossare _____
il **cielo** _____
sorseggiare _____
qualsiasi bevanda _____
che vi venga spacciata _____
  per caffè _____
fingere _____
il cambio di valuta _____
nascondere _____
copiare _____
riempire _____
a vanvera _____

lo **spazio** _____

LEZIONE 8

①
Ci pensi Lei! _____
il rapporto _____
il datore di lavoro _____
il/la dipendente _____
il superiore _____
il sottoposto _____
rimpiangere* _____
migliorare _____

②
l'istruzione *(f.)* _____
correggere* _____
spedire *(-isc)* _____
archiviare _____
l'**articolo** _____
fotocopiare _____
la **fotocopia** _____
spostare _____
disdire* _____
il **dentista** _____

③
oggi stesso _____
Mi raccomando! _____

④
il **telegramma** _____
il **contratto** _____
il dischetto _____
stampare _____
la relazione _____
la **posta** _____
il **documento** _____
l'archivio _____
la **ricevuta** _____
il ragioniere _____

⑤
la fotocopiatrice _____
ancora? _____
rompersi* _____
chiamare _____
il tecnico _____
ormai _____
lento _____
valere la pena _____
servire _____
sopra _____

⑦
l'elettricista _____

la traduttrice   _____
avvertire   _____
_____

(8)
il **foglio**   _____

(9)
la stampante   _____
la **ditta**   _____

(10)
la disposizione   _____
il vocabolario   _____
la lista   _____
la mansione   _____
l'assistente universitario   _____
l'apprendista meccanico   _____
la donna delle pulizie   _____
comunicare   _____
svolgere*   _____

(11)
a questo punto   _____
il software   _____
anzi   _____

(12)
il **discorso**   _____

(14)
tutti e due   _____

(16)
Spett. (= spettabile)   _____
s.r.l. (= società a   _____
  responsabilità limitata)   _____
ogg. (= oggetto)   _____
rif. (= riferimento)   _____
Vs. (= Vostro)   _____
lo scritto   _____
egregio   _____

esaminare   _____
la proposta   _____
circa   _____
la gestione   _____
vivamente   _____

l'interesse   _____
essere dolente   _____
provvedere   _____

risolvere*   _____
assicurare   _____
ad ogni modo   _____
futuro   _____
la collaborazione   _____
contattare   _____

porgere i saluti   _____
distinti saluti   _____

(17)
il pronome   _____
reggere*   _____

(18)
la **società**   _____
avere il piacere   _____
a tale proposito   _____
fin d'ora   _____
la disponibilità   _____
in attesa di   _____
l'attesa   _____
al più presto   _____

LEZIONE 8 - ESERCIZI

(1)
riscrivere*   _____

(2)
buio   _____

(3)
la copia   _____
il progetto   _____
tradurre*   _____

(5)
l'ufficio pubblicitario   _____
stressante   _____
promettere   _____
l'aumento di stipendio   _____

(10)
a memoria   _____
la **polizia**   _____

Elenco parole in ordine alfabetico

La prima cifra indica la lezione, la seconda l'attività.

La lettera E si riferisce ad attività dell'Eserciziario.

a

a causa di **4** 19
a disposizione **6** 18
a festa **2** 18
a gesti **4** E 15
a memoria **8** E 10
a ogni passaggio **4** 11
a pagamento **4** 11
a quadri **2** 3
a questo punto **3** 12 | **8** 11
a righe **2** 3
a seconda se … **7** E 14
a tale proposito **8** 18
a un certo punto **4** 19 | **5** 8
a vanvera **7** E 14
a volte **5** E 5
abbandonare
 3 12 | **5** E 5 | **6** E 13
abbracciare **6** 16
abile **5** 2
abilità **3** E 10
abitazione **6** 2
abitino da sera **2** 18
abito **2** 12
abito da sposa **2** 12
abitudine **3** 12
accendere **3** 12 | **4** 11
accendino **3** 18
accessorio **2** 1
accettare **1** 21
Accidenti! **1** 9
accogliente **4** 20
accoglienza **1** 7
accogliere **1** 7 | **3** 12
accomodarsi **5** 5
accompagnarsi **3** 12
acconciatura **2** 18
accorciare **2** 7
accorgersi **3** 19
accorgimento **7** E 14
aceto balsamico **4** 14
acquistare **4** 18
acquisto **4** 1
ad alta voce **3** E 10
ad ogni modo **8** 16
addebitare **4** 11
addio **3** 20
addirittura **2** 18
addosso **3** 12
adolescente **2** 18
adorare **3** 9 | **5** 20
affare **2** 12
afferrare **7** 22
affidabile **5** 2
affitto **5** 9
affollato **4** 14
affresco **6** 6

affrontare **1** 7
affrontare un rischio **6** 16
africana **4** 20
agenzia **4** 1
agenzia di viaggi **4** 1
aggirarsi **2** 18
ago **3** 18
agrario **5** 1
aiutare **3** 3
aiuto receptionist **5** 16
al calare del sipario **1** 7
al dente **4** E 16
al mio posto **6** 16
al più presto **8** 18
alba **3** 20
albergo convenzionato **4** 13
albero **3** 12
albero di natale **3** 12
album **5** E 8
alcuni, alcune **4** 1
alla moda **2** 1
allargare **2** 8
allarme **7** 2
allegria **5** E 5
allegro **1** 5
allergico **1** 7
all'improvviso **4** 19
allo scadere di **3** 12
alloggiare **5** 19
allungare **2** 8
almeno **1** 18 | **6** 1
alternativo **1** E 7
altrimenti **7** 5
alunno **1** E 5
amante **1** 7
ambasciata **5** 10
ambiente **4** 1 | **5** 3
ambizione **5** 3
amicizia **5** E 5
ammalarsi **1** 3
ammazzare **3** 12
ammodernamento **6** 6
ammontare del
 pedaggio **4** 11
amore **1** 12 | **5** E 5
ancora? **8** 5
andare a cavallo **5** 18
andare a male **7** 5
andare a trovare **5** 20
andare bene **2** 7
andare in fumo **3** 12
andare in scena **1** 7
andare perduto **3** 12
andarsene **2** 18
anima **4** 20
annata **4** 14
anniversario **3** E 12
annuncio **2** 12

antracite **2** 14
anzi **1** 16 | **8** 11
anziano **1** 7
apparecchiare **3** 3
apparecchio **4** 11 | **7** 1
appartamentino **6** 3
appassionarsi **5** E 8
applauso **1** 7
applicare **4** 11
apprendista meccanico **8** 10
approfittare **6** 13
appunto **1** 7 | **6** 12
aprire un mutuo **6** 9
archiviare **8** 2
archivio **8** 4
armadio **6** 15
arrabbiato **7** 11
arredamento **5** 3
arredare **6** 15
articolo **8** 2
aspirapolvere **7** 1
assicurare **8** 16
assicurazione **5** 3
assistente **8** 10
assistenza **4** 20
associazione **7** 22
assolto **5** E 7
assumere **5** 19 | **6** E 8
astigiano **5** E 8
atmosfera **3** E 10
attendere **4** E 16
attenti a … **7** 22
attenzione **5** 16
attesa **3** 12 | **8** 18
attillato **2** 18
attimo **7** 3
attività **5** 3
attore **5** 20
attuale **6** 2
auditorium **1** 17
augurare **7** 19
augurarsi **3** 12
aumento di stipendio **8** E 5
automobile **3** 12
automobilista **4** 11
automunito **5** 3
autostrada **4** 11
autoveicolo **4** 11
autunno **2** 18
avanzamento di
 carriera **6** 18
avaro **1** 5
avere bisogno **6** 8
avere dieci decimi **7** 22
avere fretta **4** 11
avere il piacere **8** 18
avere intenzione di **7** 2
avere paura **6** 16

avere pazienza **5** 19
avere problemi di resto **4** 11
avere voglia **1** 1
avvenire **1** 12
avvertire **5** 19 | **8** 7
avviare **5** 3
avvicinare **2** 18 | **5** 19
azione **4** 20 | **6** 11

b

badare **1** 10
balcone **6** 6
balletto **1** 5
barca **4** 14
Basta! **3** 17
bastare **4** 11
battaglione **5** 10
battere **8** 2
battere le mani **1** 7
battesimo **1** 2
beige **2** 2
ben pochi **3** 12
benvenuto **4** 1
benvenuto **7** 19
biancheria **3** 12
bidet **6** 15
bidone **6** 5
biglietto **1** 3
biglietto **4** 2 | **5** 20 | **7** 19
biglietto di auguri **1** 11
biscotto **3** 8
bivio **4** 19
bloccarsi **4** 20
blu **2** 2
boccale **6** 4
boia **1** 7
bordò **2** 14
borsa **2** 15
borsa di studio **5** 8
borsetta **2** 12
botteghino **1** 17
bottone **2** E 6
boutique **4** 1
boxe **6** 7
boxer **3** 12
braccio **7** 22
brano **5** 20
breve **4** 4
brevemente **7** 19
brillante **1** 7
brindare **3** 12
brufolo **2** 18
buccia **3** E 10
buco **6** 3
buio **8** E 2
buon divertimento! **7** 19

buon senso **7** 22
buono **5** E 7

c

c'è bisogno che … **3** 15
cabina **4** 1
cadauno **2** 12
calzino **2** 15
cambiare **2** 14 | **5** 19
cambiare marcia **3** 17
cambiare treno **4** 8
cambio di valuta **7** E 14
camera da letto **6** 1
camerino **2** 2
camicia **2** 2
camoscio **2** 1
candidato **5** 15
cane **7** 22
cantautore **5** E 8
canzone **1** 7
caos **3** 5
capitale **1** 7 | **6** 16 | **6** E 8
capitare **4** 21
capitone **3** 2
capo **2** 1
capo del personale **5** 15
cappello **2** 1
cappone **3** 2
cappotto **2** 5
capufficio **6** 10
caraffa **3** 6
carne macinata **3** 18
carnevale **3** 1
carriera **5** 20
carrozza **4** 1
carrozza d'epoca **4** 1
carta **3** 7
cartella **3** E 10
cartellone **3** E 10
cartina **4** 6
cartoleria **3** 18
cartone **3** E 10
casello **4** 11
caserma **4** 19
cassata siciliana **1** 10
cassetta **3** 8
cassettiera **6** 15
cassetto **3** E 5 | **7** 5
catalogo **4** 15
categoria **4** 13
cattivo **3** 12
causa **3** 1
cedere **6** 8
celebrare **3** 12
celeste **2** 3
celibe **5** E 7
cenno **7** 22
cenno della testa **7** 22
cenone **3** 9
centimetro **2** 8
centinaio **3** 10

centro **4** E 16
cerino **3** 15
cerotto **3** 18
certificato **3** E 15
certo **6** 16
che ne dici …? **1** 21
chiacchierare **5** E 9
chiamare **8** 5
chiaro **2** 14
chiasso **7** E 11
chimica **5** 6
chissà **3** 12
chitarra **3** 7
cieco **7** 22
cielo **7** E 14
cintura **2** 2 | **2** 15
cioè **3** 6 | **5** 5
circa **8** 16
circostanza **4** E 16
cittadina **6** 6
cittadinanza **5** E 7
civiltà **7** 22
classe **1** E 5 | **4** 9
classico **5** 1
clima **6** 18
coda **4** 11
cognata **1** 12
cognato **6** 16
colf **6** 12
collaboratore **5** 3
collaboratrice **5** 3
collaborazione **8** 16
collegamento **4** 1
collo **2** 14
collo a V **2** 14
collocare **7** 20
colloquio **5** 2
colloquio di lavoro **5** 2
colonnello **4** 19
colonnina **4** 11
colore **2** 1
colpa **7** 22
coltello **3** 6
coltivare **2** 22
coltivato **2** 22
come mai **2** 18
comizio **1** 17
commedia musicale **1** 2
commendatore **5** 20
commerciale **5** 1
commuovere **5** 20
commuoversi **2** 18
comodino **6** 15
comodità **4** 1
compagnia **4** 1 | **5** 3 | **5** E 5
compagnia di
   assicurazioni **5** 3
compagno di scuola **5** 7
completo **3** 5
complice **1** 7
complicità **5** E 5
comportamento **3** 1 | **5** 19
comportare rischi **6** 16

compositore **5** E 8
comprendere **4** 1 | **6** 6
computer **5** 18
comunicare **8** 10
comunque **7** 3
concentrarsi **3** 17
concerto **1** 17
concluso **4** 20
condividere **6** 16
condizionatore d'aria **7** 1
conferenza **1** 17
confermare **5** 19 | **5** E 8
confondersi **7** E 14
coniugato **5** 10
coniuge **6** 18
conoscente **6** 18
conoscenza **5** 3 | **5** 10
conquistare **5** E 8
consegnare **4** 20
conseguire **5** 10
consentire **4** 1
conservare **2** 2
contattare **8** 16
contenere **3** 12
continuare **5** 8
continuo **5** 3
conto corrente **4** 11
contrario **6** 18
contrassegnato **2** 19
contratto **8** 4
controllare **5** 19
conveniente **6** 18
convenire **4** 7
convincere **2** 16
copertina **7** E 14
copia **8** E 3
copiare **7** E 14
coppia **5** E 8 | **6** 2
coprire **3** E 10
correggere **8** 2
corrente **7** 19
correttamente **5** 16
corridoio **4** 10
corriera **4** E 16
corrispondenza
   commerciale **5** 16
corsia preferenziale **4** 11
cortesia **1** 20 | **7** 22
corto **2** 2
cosiddetto **4** 11
costare un occhio della
   testa **6** 11
costoso **6** 4
costume da bagno **2** 5
cotechino **3** 2
cotone **2** 1
cravatta **2** 2
creativo **5** 3
crederci **3** 7
crescere **5** E 5
critica **1** 2
critico **6** 17
crociera **4** 1

crosta **6** 5
crostata **4** E 4
cuccetta **4** 10
cucchiaio **3** 6
cucina a gas **6** 15
cucire **5** 18
cugina **1** 9
cuoio **2** 12
cuore **2** 18
curare **4** 19
curioso **3** 12
curriculum **5** 3
curriculum vitae **5** 10

d

da ragazzo **5** E 5
dal momento che **6** 16
d'altra parte **2** 7
danno **5** 3
dare ai nervi **3** 1
dare nell'occhio **7** E 14
dare un colpo di
   telefono **4** 13
dare un permesso **5** E 3
dare una mano **3** 3
data **5** 10
data di nascita **5** 10
datore di lavoro **8** 1
dattilografa **5** 20
davvero **5** 20
debuttare **1** 7
debutto **5** E 8
decina **3** 10
decisamente **6** 17
decisione **6** 16
definire **2** 20
definirsi **5** E 5
denaro **4** 11
dentifricio **3** 18
dentista **8** 2
dentro **4** 10
depliant **4** 13
descrivere **6** 6
descrizione **4** 20
dettaglio **4** 1
dettagliato **5** 3
di cammello **2** 10
di meno **6** 16
dialetto **1** 7
dieta **3** 13
difesa **7** 22
difetto **2** 9
difettoso **7** 19
diffondersi **3** 12
diffuso **3** E 10
diffuso **5** 21
digitare **4** 11
dignità **1** 7
dimenticare **2** 7
diminutivo **2** 20
dinamico **5** 2

dinamismo **5** 3
dipendente **8** 1
dipendere **6** 16
diploma di maturità **5** 1
diplomarsi **5** 6
direi **4** 7
direzione **6** E 8
disavventura **4** 21
dischetto **8** 4
disco **3** 7
discorso **6** 12 | **8** 12
discreto **2** 18 | **5** 10
discutere **4** 20 | **5** 6
disdire **8** 2
disfatto **7** E 11
disponibile **5** 10
disponibilità **5** 3 | **8** 18
disposizione **8** 10
disposto **5** 19
distinti saluti **8** 16
ditta **6** 18 | **8** 9
divano **6** 15
diventare **3** 12 | **6** 16
diversamente **3** 12
diversi **4** 8
divertente **3** E 10
divorziato **5** E 7
documento **3** E 15 | **8** 4
doppio **6** 12
dovere **1** 18
dovunque **1** 7
dozzina **3** 10
dubitare **6** 13
durare **4** 2

e

e compagnia bella **2** 18
È permesso? **5** 5
eccetera **4** 18
eccone **7** 22
economico **4** 4 | **6** 2
edificio **6** 1
edificio d'epoca **6** 1
efficacemente **4** E 16
egregio **8** 16
elasticizzato **2** 15
elettricista **8** 7
elettrico **7** 1
emittente radiotelevisiva **5** 3
emozionato **1** 12
enorme **6** 4
entrata **4** 11
entro **4** 13 | **6** 10
entusiastico **1** 7
episodio **5** 20
esagerare **6** 3
esaminare **8** 16
esclusivamente **3** E 10
eseguito **1** 7
esigenza **6** 6
espansione **5** 3

espediente **1** 7
esperienza **5** 8 | **7** 18
esperto **3** E 10 | **4** 20
esplodere **1** 7
essere composto **6** 6
essere contrario a
   2 13 | **6** 18
essere costretto **4** 18
essere diplomato **5** 4
essere disposto a **6** 16
essere dolente **8** 16
essere in grado di **5** 16
essere in imbarazzo **4** 20
essere in vendita **6** 6
essere legato **4** 18
essere posto **6** 6
essere riportato **3** E 10
estate **3** 21
estero **5** 18
estrarre **3** E 10
estremamente **3** E 10
età **5** 3
eternamente **1** 7
europeo **4** 20
evitare **4** 11
ex compagno di scuola **5** 7

f

fabbrica **6** E 13
facilità di contatto **5** 3
facoltà **5** 6
fan **4** E 15
fantasia **3** 12
far baldoria **3** 1
farcela **3** 15
fare dei propositi **3** 1
fare finta di **5** 19
fare la fila **6** 11
fare l'autostop **4** 19
fare le valigie **3** 5
fare rifornimento **4** 10
fare sacrifici **6** 9
fare un favore **1** 16
fare un ritratto **5** E 5
fare una nuotata **1** 21
fare una pazzia **6** E 1
fare uno sforzo **3** 17
farsi capire **4** E 15
farsi grande **1** 7
farsi male **1** 4
favore **1** 16
favorire **4** E 16
fazzoletto **2** 1
fazzoletto di carta **2** 1
ferie **6** 16
fermarsi **4** 19
festeggiare **3** 1
fiamma **3** 12
fibra sintetica **2** 1
figurarsi **1** 16 | **5** 20
Figurati! **1** 16

Figuriamoci! **5** 20
film porno **2** 18
filo **3** 18
fin d'ora **8** 18
finestra **3** 12
finestrino **4** 10
fingere **7** E 14
finire **1** 7
finto **2** 18
fiore **1** 14
fissare **5** 2
fisso **3** 12
fiume **4** 19
foderato **2** 12
foglio **8** 8
forchetta **3** 6
forchettina **3** 6
formica **7** 19
formulare **7** 19
forno a microonde **7** 1
fortuna **3** E 10
fotocopia **8** 2
fotocopiare **8** 2
fotocopiatrice **8** 5
foulard **2** 10
francobollo **3** 18
frequente **4** E 16
frequenza **4** 11
frullatore **7** 1
fumare **3** 12
fumatore **4** 10
fumo **3** 12
funzionare **7** 4
fuori **4** 10
fuori moda **6** 5
fuori stanza **7** 2
futuro **8** 16

g

galleria **4** 11
gamba **3** E 10
gas **7** 9
genero **1** 12
generoso **4** E 16 | **6** 16
geniale **5** E 5
gentile **3** E 13 | **7** 17
gentilezza **6** 13
geometra **5** 1
gergo giovanile **2** 19
gessato **2** 18
gestione **8** 16
gestore **6** 16
gettare **3** 12 | **7** 22
giacca **2** 5
giacca a vento **2** 12
giallo **1** 6 | **2** 3
giardinaggio **6** 18
gioia **1** E 11 | **2** 18
giorno dopo **2** 18
giorno per giorno **1** 7
giovane **5** 3 | **5** 5

girandola **3** 12
girare **5** 20 | **7** 2
girocollo **2** 14
giubbotto **2** 12
giurisprudenza **5** E 5
giustificare **2** 16
giusto **2** 22 | **7** 4
godere **6** 13
gomma **3** 18
gonna **2** 3
grammatica **3** E 15
grappa **3** 8
grattugia elettrica **7** 1
grazie a **5** 21
gridare **3** E 10 | **7** 22
grigio **2** 2
gruppetto **2** 18
guadagnare **5** E 13
guadagno **6** 16
guaio **7** 22
guanto **2** 1
guida **4** 15 | **5** 19 | **7** E 14
guida turistica **5** 8
guidare **5** 18
gustoso **3** 12

h

handicap **7** 23
hit parade **5** E 8

i

ideale **6** 1
identico **2** 18
ignorare **5** 19
illustrare **6** 8
illustrata **2** 17
imbarco **4** 3
immaginare **1** 3 | **3** 20
immediatamente **5** 19
imperativo **7** 19
impermeabile **2** 3
impersonale **5** 4
impiego **5** 16
improvvisamente **7** 2
improvvisato **4** E 15
in attesa **8** 18
in bellezza **3** 20
in braccio **1** 12
in cerca di **1** 7
in compenso **4** E 16
in comune **4** 10
in continuazione **5** 19
in corso **4** 20
in effetti **4** 13
in fondo **4** E 16 | **6** 16
in fretta **3** 15
in modo particolare **2** 22
in occasione di **1** 12
in particolare **6** 6

in piedi **1** 7
in riferimento a **5** 16
in senso classico **2** 18
incollare **7** E 14
incontaminato **4** 1
incontrarsi **5** 6
incontro **4** 20
incoraggiare **4** E 16
indicazione **2** 19
indifeso **7** 22
indigeno **4** 19
indispensabile **7** 1
indossare **7** E 14
indossato **2** 12
industriale **5** 1
inferiore **6** 8
infine **1** 7
influenza **1** 3
informazione **4** 1
ingenuità **5** 20
ingresso **6** 6
iniziare **3** 20 | **5** E 8
innaffiare **7** 19
innamorato **1** 7
inserire **4** 11 | **7** 19
inserzione **5** 4
insieme **3** 12
insolito **2** 18
insomma **2** 18 | **6** 16
insopportabile **3** 21
intanto **5** E 8
intellettuale **6** 5
intendere **5** 2
intenzione **7** 2
interesse **8** 16
interpretato **5** E 8
intitolato **5** E 8
intonazione **7** 4
inutile **7** 22
invadere **7** 19
inventare **5** 19
inverno **3** E 17
investimento **6** 12
investire **6** 11
invitare **1** 2 | **5** 19
irritare **5** 19
iscrizione **4** 5
isolato **6** E 6
istituto d'arte **5** 1
istituto professionale **5** 1
istituto tecnico **5** 1
istruzione **8** 2

j

jazz **5** E 8
jeep **4** 19

l

lampada **6** 15
lana **2** 1

larghezza **4** 1
largo **2** 2
lasciare in giro **7** 19
latino **1** 18
laurea **5** 1
laurearsi **5** 6
lavabo **6** 15
lavandino **6** 15
lavare a secco **2** 2
lavastoviglie **7** 1
lavatrice **7** 2
lavorare a maglia **5** 18
lavoro in corso **4** 11
lavoro in proprio **6** 16
legno **3** E 10
legume **3** 12
lenticchia **3** 2
lento **8** 5
letto a castello **6** 15
letto matrimoniale **6** 15
lettore di cd **7** 1
lettore di dvd **7** 1
libreria **6** 15
libriccino **7** E 14
licenza **5** 1
licenziarsi **5** E 6
liceo **1** E 5 | **5** 1
liceo artistico **5** 1
liceo linguistico **5** 1
liceo psico-pedagogico **5** 1
liceo scientifico **5** 1
limitarsi **1** 7
linea **4** 1
linea secondaria **4** 1
linea telefonica **7** 2
lino **2** 10
liquidazione danni **5** 3
lista **8** 10
locale **5** 3 | **6** 6
locomotiva a vapore **4** 1
lucido **2** 18
lunghezza **4** 1
lungo **2** 2 | **6** 6
luogo **5** 10
luogo di nascita **5** 10
lusso **4** 10
lussuoso **4** 20

m

macchina a noleggio **4** 18
macchina fotografica **7** 14
macelleria **3** 18
madrina **1** 12
maggiore **6** 16
magistralmente **1** 7
maglia **6** 7
maglietta **2** 1
mal di mare **4** 10
mal di testa **6** 13
malato **4** 19
mancare **3** 6

mandarino **3** E 10
mangiata **6** E 1
manica **2** 8 | **2** E 6
mano **1** 7
mansione **8** 10
mantenere **3** 1 | **3** 14
marciapiede **7** 22
marrone **2** 2
maschera **3** E 12
massimo **4** 1 | **5** 3
matematica **5** 8
materiale **2** 12
matrimonio **1** 2
mattone **6** 5
maturità **5** E 8
meccanico **5** E 13
media **5** E 8
medicina **5** 6
mediocre **6** 17
meglio **2** 18 | **6** 9
mensa **4** 9
merceria **3** 18
messo a nuovo **4** 1
metà **5** E 8
metro **6** 1
metro quadrato **6** 1
metterci **4** 13
mettere **2** 1 | **3** 6
mettere da parte **6** E 13
mettere in ordine **3** 5
mettersi a **2** 18
mettersi giù **2** 18
mettersi in cammino **4** 19
mettersi in proprio **5** 9
mezzo di trasporto **4** 1
Mi raccomando! **8** 3
migliaio **3** 10
migliorare **8** 1
migliore **6** 12
milanese **5** E 5
militesente **5** 3
minestra **3** 6
minestrone **3** 2
minore **6** 16
missione **4** 20
misura **2** 4
misurare **6** 6
mitico **2** 18
mobile **4** E 3
mobilificio **5** 3
mocassini **2** 4
moda **2** 1
modello **2** 3
modesto **6** 8
modifica **2** 9
modificare **2** 11
modo **3** 12
mollare **2** 18
momentaneamente **6** 16
mondo **1** E 5 | **2** 18
mongolfiera **4** 1
monolocale **5** 9
monumento **1** 8

morire **1** 7
morte **1** 7
mostrare **6** 8
motivo **1** 7
motorino **4** E 7
musica **1** 5
musica barocca **1** 10
musica classica **1** 5
musicato **1** 7
mutande **3** 12
mutuo **6** 9

n

nascere **5** E 5
nascita **5** 10
nascondere **7** E 14
Natale **3** 1
nautico **5** 1
nave **4** 1
neanche **3** 6 | **6** 16
necessità **4** 10
negozio di abbigliamento **2** 2
nel corso **3** 12
neodiplomato **5** 3
nero **2** 2
nervoso **6** 12
nessuno **3** 3
noleggiare **4** 4
nonché **4** 1
non servire **7** 22
non vedente **7** 22
norma **7** 22
norma di civiltà **7** 22
notare **2** 18
notizia **3** E 14
nozze **3** E 12
nubile **5** E 7
nudo **2** 18
numero **2** 4
nuora **1** 12
nuotare **5** 18

o

occasione **2** 22
occhio **1** 7 | **7** 22
occorrere **3** 15 | **4** 3
occupare **6** 6
occuparsi **6** 16
occupato **7** 2
offendersi **4** 20
offerta **4** 1 | **4** 20
offerta di lavoro **5** 4
oggetto **3** 6 | **4** 18 | **8** 16
oggi stesso **8** 3
ogni tanto **5** 20
ombrello **6** 7
opera **1** 5
operetta **1** 5

opinione **3** 1
opportunità **5** 3
orario **6** 16
ore pasti **2** 12
orecchino **1** 12
orientarsi **7** 22
originale **2** 18
orizzontale **3** E 10
ormai **8** 5
oro **5** E 8
orologio **1** 14
ospitalità **4** 20
ospite **3** 2
osservare **7** 22
oste **1** 7
ostruire **7** 22
ottenere **5** 21
ottenuto **3** E 10
ottimo **5** E 7
ovazione **4** E 15
ovviamente **6** 8

p

pacchetto **3** 12 | **3** 15
pacco **6** 7
padrino **1** 12
padrona di casa **3** 2
paese **2** 22 | **3** 2
pagamento **4** 11
pagare a rate **6** E 6
paio **2** 2
paio di pantaloni **2** 2
palazzo **6** 6
palestra **4** 1
paletta **7** 22
palo **7** 22
pancina **2** 18
pane **3** 8
panettone **3** E 12
papillon **2** 18
parere **4** 17
partecipante **5** 19
partenza **4** 3
particolare **5** 8
Pasqua **3** 1
passatempo **3** E 10
patibolo **1** 7
paura **3** E 10 | **6** 16
pazientemente **5** 20
pazienza **7** 15
Peccato! **1** 3
pedaggio **4** 11
peggio **6** 16
peggiore **2** 18 | **6** 16
pelle **2** 1
penna **3** 18
pensarci su **6** 8
pensare **6** 3
pensato **2** 18
per carità! **7** 9
per colpa nostra **7** 22

per forza **1** 9
per prima cosa **3** 6
per quale ragione **1** 7
per terra **7** 22
percorso ad ostacoli **7** 22
perdere **7** 19
perdere il gas **7** 9
perfettamente **5** 16
perfino **6** 12
periferia **6** 18
periodo **6** 18
permesso di
   soggiorno **3** E 15
permettersi **5** 16 | **5** E 13
personaggio **1** 7
pesante **3** 17 | **6** 5 | **6** 7
piacere **4** 1
piano nobile **6** 6
pianoforte **7** 10
pianta **1** 14
piantina **6** 6
piazzetta **6** 6
piemontese **1** 10
pieno **2** 18
pigiama **2** 15
pizza **6** 5
plastica **3** E 10
platea **1** 7
platino **5** E 8
polizia **8** E 10
polo **2** E 6
poltrona **6** 15
ponte **4** 1
popolare **3** 12 | **3** E 10
porgere i saluti **8** 16
porre **5** 19
porta **6** 6 | **6** 7
portapepe **3** 6
portare **2** 1 | **4** 19
portare in giro **7** 22
portata **4** 1
portatore di handicap **7** 23
portiere **7** 14
posata **3** 6
positivo **5** 2
posizione **4** 14
posizione militare **5** 10
possedere **7** 1
posta **8** 4
posto **1** 8 | **4** 10
povero **5** 20
pratica **5** 21
precedere **4** 11
preferenza **4** 10
pregare **1** 9
pregio **6** 8
prelato **4** 20
prendersi un'influenza **1** 3
preoccuparsi **6** 16
presentare domanda **5** 16
presentarsi **5** 5
presente **2** 19 | **7** 19
prestare **5** 10 | **7** 22

prete **4** 20
prevedere **3** 12
prezioso **6** 16
prezzo **2** 7
prima **1** 16 | **7** 19
prima comunione **1** 2
primavera **3** 21
processo **6** 10
professionale **5** 3
professore **5** 6
profumeria **3** 18
progetto **8** E 3
programma **3** 9
programmare **4** 1
progresso **7** 22
promettere **1** 9
promozione **5** 3
pronome **8** 17
pronto **2** 2
pronuncia **2** 18
proporre **1** 21
proposito **3** 1
proposta **1** 21 | **8** 16
proprietario **6** 8
protagonista **1** 7
protestare **5** 19 | **7** 10
provare **3** 12
provincia **5** 3
provvedere **8** 16
psicologia **4** E 11
pubblicare **5** 4
pubblicità **7** 22
pubblico **1** 7
pulire **6** 12 | **7** 19
pulito **6** 18
pulizia **6** 13
pullman **4** E 15
pullover **2** 1
punteggiatura **2** 21
punto di arrivo **4** 6
punto di partenza **4** 6
pure **7** 19
puro **2** 1
purtroppo **1** 3

q

quadro **1** E 14 | **6** 5
qualcuno **1** 18 | **3** 3
quanto? **4** 3
quanto a **6** 16
quanto più ... tanto più ...
   3 12
quello **2** 3
quindi **5** 8
quindicina **3** 9

r

raccomandare **7** 19
raccomandazione **5** 21 | **7** 19

radiosveglia **7** 1
raffreddore **1** 4
ragazzina **2** 18
ragazzino **2** 18
raggiungere **4** E 16
raggiungibile **4** 1
ragioniere **8** 4
rapporto **8** 1
rappresentare **3** 12
rappresentazione **1** 7
rata **6** 18 | **6** E 6
razzo **3** 12
realizzare **5** 21
recensione **5** E 8
recuperare **2** 22
referenza **5** 10
regalare **1** 12
regalo **1** 9
reggere **8** 17
regista **5** E 5
regnare **3** 12
regolare **4** 13
regolarmente **7** 19
relazione **8** 4
rendere **6** 6
rendersi invisibile **7** 22
reparto amministrativo
   5 E 6
residenza **5** E 7 | **6** 6
responsabile **5** E 6
rete ferroviaria **4** E 16
ricco **3** 12
ricerca **5** 3
ricercare **5** 3
ricevere **4** 1
ricevuta **8** 4
richiedere **3** E 10 | **5** 3
richiesta **5** 3 | **5** 10
ricordare **7** 22
ricordarsi **5** 20
ricordo **5** 20
ricorrere a qc. **5** 21
riempire **7** E 14
riempirsi **3** 12
rifare **7** 18
riferimento **8** 16
rifiutare **1** 21 | **5** 19
rifiuti **7** 22
riflettere **6** 16
rigido **6** 16
rigo **2** 19
rilevare **4** 11
rimettere a posto **5** 19
rimpiangere **8** 1
rimproverare **5** 19
rinfrescare **1** 18
riparlare **6** 12
ripartire **7** 2
ripido **3** 17
ripieno **3** 2
riportare **2** 19
risata **3** 20
riscaldamento **7** 2

rischiare **6** 11 | **6** 16
rischio **6** 16
riscrivere **8** E 1
risentire **4** E 16
risolvere **8** 16
rispecchiato **2** 18
rispettare la fila **7** 22
rispondente **6** 6
rispondere di qc. **6** 13
ristorante di lusso **4** E 16
risultato **5** E 5
ritagliare **7** E 14
ritenere **7** 1
ritirare **3** E 10 | **4** 11
ritorno **5** 16
riunirsi **5** 6
riuscire **3** 12
rivelarsi **4** 20
rivolgersi **6** 16
robusto **2** 14
romanesco **1** 7
romano **1** 7
romanzo **1** 8
romanzo poliziesco **1** E 7
rompersi **8** 5
rosa **2** 3
rosso **2** 3
rotto **3** 5 | **7** 9
rovesciare **3** 12
rovinarsi **7** 8
rubare **5** 19
rubinetto **7** 19

s

sacrificio **6** 9
sala di lettura **4** 1
salato **4** 20
saliera **3** 6
salita **3** 17
salone **4** 1 | **6** 6
salotto **6** 12
salumeria **3** 18
salutare **5** 16
salute **3** 12
San Silvestro **3** 1
sandalo **2** 5
sbagliare numero **7** 2
sbrigarsi **3** 15
sbronza **6** 4
scaffale **6** 15
scaldabagno **7** 19
scalino **7** 22
scansafila **4** 11
scaricare **3** 3
scaricare la macchina **3** 3
scarpa **1** E 14 | **2** 1
scarpa da ginnastica **2** 1
scatola **3** 15
scattare **1** 12
scelta **4** 11
scherzosamente **5** 19

scialle **2** 3
sciarpa **2** 1
scompartimento **4** 10
scontrino **2** 2
scoperta **4** 1
scoprire **5** 19
scritto **8** 16
scrittore **4** 19
scrivania **6** 15
scuola dell'obbligo **5** 1
scuola elementare **5** 1
scuola materna **5** 1
scuola media **5** 1
scuro **2** 14
scusa **5** E 3
seccarsi **7** 19
secondo **1** 7 | **4** 11 | **4** 12
sedia **6** 15
segnare **5** E 8
segreto **7** E 14
sembrare **2** 22
seminuovo **2** 12
semplice **7** 22
sentire **3** 1
sentirsi a proprio agio **2** 22
separarsi **7** 22
separato **5** E 7
serale **2** 12
serietà **5** 3
servire **4** 7 | **4** 11 | **8** 5
servizi **6** 6
servizio militare **5** 4
seta **2** 10
sgabuzzino **6** 12
shorts **2** 3
sia ... che ... **2** 14
sigaretta **3** 12
significare **3** 10 | **3** E 10
significativo **4** 4 | **6** 6
significato **3** E 10
signorile **6** 6
silenzio **1** 7
sincerità **6** 13
sinonimo **2** 19
sintonizzarsi **4** 11
sipario **1** 7
sistemare **6** 15
situazione **6** 2, **6** 17
slip **3** 12
smemorato **3** 19
smettere **3** 12
smoking **2** 18
società **4** 11 | **4** E 4 | **8** 18
società a responsabilità
  limitata **8** 16
società per azioni **5** E 6
socio **4** 12 | **6** 16
soddisfatto **5** 19 | **5** E 9
soffrire **4** 10
software **8** 11
soggiorno **6** 6 | **7** 19
soggiorno all'estero **5** E 7
sognare **5** 21

sognatore **5** E 5
sogno **5** 21
solito **5** 20
sopra **8** 5
sorriso **7** 22
sorseggiare **7** E 14
sosta **4** 18
sostituire **4** E 16
sotto **2** 18
sottoporre **5** 19
sottoposto **8** 1
souvenir **5** 19
spacciare per **7** E 14
spalla **2** 18
spazio **1** 18 | **6** 18
spazzolino **3** 18
specchiato **2** 18
spedire **8** 2
spegnere **7** 19
spento **7** 8
speranza **3** 12
sperare **3** 9
spettabile **8** 16
spettacolo **1** 1
spettatore **1** 7
spiritoso **3** E 10
sporcare **7** 22
sporco **3** 5
sporgente **2** 18
sportivo **2** 15
sposa **2** 12
sposarsi **1** E 11 | **5** 13
sposato **5** 2
spostare **8** 2
spostarsi **4** 1
squisito **4** 1
stampante **8** 9
stampare **8** 4
stampato **3** E 10
stanza da letto **6** 6
stato **2** 12
stato civile **5** 10 | **5** E 7
stato d'animo **4** 20
stavolta **4** 18
stazionare **2** 18
stenografare **5** 18
stereo **3** 8 | **7** 19
stile **2** 18
stilista **2** 11
stilografica **1** 14
stirare **3** 21
stivale **1** E 14 | **2** 5
stoffa **2** 1
storia **2** 17
storico **6** 6
straccio **6** 5
strada principale **6** 6
stress **3** 1
stressante **4** 12
stretto **2** 2
stringere **2** 8
stringere i denti **3** 17
studio **5** 1 | **6** 9

studio legale **5** 3
studioso **1** E 5
su richiesta **5** 10
succedere **1** 9
successivo **5** E 8
successo **1** 7 | **5** E 5
sufficiente **5** E 7
suocera **1** 12
suocero **1** 12
suonare **5** 18 | **7** 2
superare **6** 10
superficie **6** 1
superfluo **7** 1
superiore **6** 11 | **8** 1
supplemento **4** E 2
svantaggio **6** 16
svolgere **8** 10
svolgersi **1** 7
svolta **5** E 5

t

tabaccheria **3** 18
tacchino **3** 2
tacco **2** 12
taglia **2** 1
tango **1** 10
tanto **7** 9
tappeto **6** 15
tariffa **4** 4
tasca **2** 15
tassa di proprietà **1** 18
tavola **3** 3
tavolino **1** 18
tazzina **3** 10
tecnico **8** 5
teenager **2** 18
telefonino **1** 18
telegramma **8** 4
tenere **7** 11
tenere basso **7** 17
tenore **2** E 9
terrazzo **6** 12
territorio **4** 1
tessera magnetica **4** 11
tessuto **2** 12
testa **7** 22
tinta **2** 14
tirare **7** 19
tirare fuori **3** 12
titolo **4** 20
titolo di studio **5** E 7
tombola **3** 9
tormentare **5** 20
tour **5** E 8
tournée **5** E 8
tovaglia **3** 6
tracolla **2** 12
tradizione **2** 22 | **3** 12
tradurre **7** 15
traduttrice **8** 7
traduzione **1** 18

traffico **4** 7
tranquillante **7** E 12
tranquillità **6** 18
tranquillizzare **7** 12
trascorrere **3** 12
trascrivere **7** 19
trasferimento **6** 18
trasferirsi **5** 13
trasferirsi **6** 11
trasmettere **4** 11
trasmissione **4** 11
trasportare **4** 18
trasporto **4** E 16
tratt. (= trattabili) **2** 12
trattamento **5** 19
trattare **6** 8
tratto **4** 11
tratto da **5** 20
trentina **3** 10
triste **5** E 5
trovarsi **6** 6
trucco **7** E 14
turismo **5** 1
tuta (da) sci **2** 12
tuta **2** 12
tutti e due **8** 12

u

udito **7** 22
ufficio contabilità generale
  5 E 6

ufficio pubblicitario **8** E 5
umanità **2** 18
umano **5** 3
un pochino **2** 14
unico **4** 11 | **6** 17
universitario **8** 10
urgentemente **6** 8
urgenza **4** 13
usanza **3** 12
usato pochissimo **2** 12
uscire **5** E 8
uscita **4** 11
utile **6** 6

v

vagone letto **4** 9
vagone ristorante **4** 9
valere la pena **8** 5
valido **4** 1
vantaggio **5** 21
vaso **1** E 14
vedovo **5** E 7
vendere **2** 12
vendita **6** 6
ventilatore **7** 1
ventina **3** 10
verde **2** 2
verde salvia **2** 12
verità **5** 9
vero **2** 12
versare **6** 16

verso destra/sinistra **7** 2
verso il mare **6** 6
vestirsi **2** 22
vestitino **2** 18
vestito **2** 18
vetrina **2** 3
vettura **4** 4
viabilità **4** 11
vicenda **1** 7
viceversa **7** 19
vicina **7** 3
vicino **3** 12 | **7** 3
video **7** 5
videocassetta **7** 5
videoregistratore **7** 1
viennese **2** 18
vietato **4** 8
villa **6** 4
villaggio **4** 19
villaggio globale **2** 18
vincere **5** 8
visita medica **4** 5
visto **3** E 15
visto che ... **3** 15
vivace **2** 1
vivamente **8** 16
vivere di espedienti **1** 7
vivo **2** 22
vocabolario **3** E 15 | **8** 10
vocabolo **2** 19
voce **7** 22
volerci **3** 15 | **4** 3
volo **4** 1

volo di linea **4** 10
volume **7** 17
votazione **5** 10
vuoto **3** 12

w

walzer **2** 18
water **6** 15

y

yogurt **7** 5

z

zampone **3** 2
zittirsi **7** 22

LEZIONE 1

1. **a.** mi sono svegliato / a **b.** si è lavato – è uscito
c. si è fatto **d.** hanno detto – si sono annoiati
e. mi sono riposato / a **f.** ti sei alzato / a **g.** avete
fatto – Vi siete incontrati/e – vi siete visti/e **h.** si è
messa – ha preso **i.** si è divertito **j.** si è annoiata

2. mi sono svegliato – Mi sono vestito – ho preso – sono
uscito – ho aspettato – è arrivato – sono andato – Ho
lavorato – sono ritornato – ha telefonato – ci siamo
incontrati – abbiamo mangiato

3. **a.** si sono annoiati **b.** vi siete alzati/e **c.** mi sono
addormentato **d.** ci siamo sentiti/e **e.** si è ammalata
f. si sono iscritti

4. **a.** Dovevamo andarci? / Ci dovevamo andare?
b. Doveva chiamarla? / La doveva chiamare?
c. Dovevano farli? / Li dovevano fare? **d.** Dovevo
prenotarla? / La dovevo prenotare? **e.** Dovevo
ripararla? / La dovevo riparare? **f.** Doveva prepararlo?
Lo doveva preparare? **g.** Dovevamo metterle in
ordine? Le dovevamo mettere in ordine?

5. **a.** Graziella e Rita sono le ragazze più simpatiche del
gruppo. **b.** Il professor Renzi è l'insegnante più
giovane del liceo. **c.** Il signor Banfi è il collega più
anziano dell'ufficio. **d.** La locanda dell'Orso è il
ristorante più caro della città. **e.** I fratelli de Pretis
sono gli avvocati più bravi della provincia. **f.** Piazza
Navona è la piazza più bella di Roma. **g.** S. Pietro è la
chiesa più grande del mondo. **h.** Mario e Roberto
sono gli alunni più studiosi della classe.

6.

Pronomi indiretti		
	atoni	tonici
io	a me	mi
tu	a te	ti
lui	a lui	gli
lei	a lei	le
Lei	a Lei	Le
noi	a noi	ci
voi	a voi	vi
loro	a loro	gli / loro

7. **a.** ti **b.** gli **c.** le **d.** vi **e.** gli **f.** Le

8. **a.** gli **b.** ci **c.** gli **d.** gli **e.** Ci **f.** gli - gli **g.** mi **h.** vi

9. **a.** due **b.** cognata **c.** tre **d.** nipote **e.** nonna **f.** nuora

10. Orizzontali:
2. genero
3. cognato
6. sorella
7. zio
9. cugini
12. figlio
13. madre
14. nipote

Verticali:
1. fratello
4. nuora
5. zia
6. suoceri
8. moglie
10. nonni
11. marito

11. genitori – fratello – sorella – marito – cognato –
figlio – nuora – cognata – figli – nipoti – figlia –
marito – figlia – nonni – nipote – figlia – genero

12. … Le mando una foto scattata in occasione del suo
battesimo, avvenuto due settimane fa. Come vede,
quel giorno mia madre era molto emozionata anche
perché, in quell'occasione, è tornata in Italia mia
sorella Rosanna (accanto a lei nella foto) che, come
Lei sa, vive negli Stati Uniti e che mia madre non
vedeva da più di due anni. Dietro a me ci sono i miei
suoceri, i signori Achilli, e accanto a me, con in
braccio mia figlia Alessia, mia cognata Daniela e mio
fratello Mario che hanno fatto da madrina e da
padrino alla nipotina. Dietro a Don Alfio c'è mio
cognato David, marito di Rosanna. Accanto a lui
Silvana, figlia di Mario; poi con in braccio Miriam
(l'altra mia figlia), Elisabeth, figlia di Rosanna. Dietro
di lei Silvia, mia cognata, con in braccio Angela,
l'altra figlia di Mario. Andrea, mio marito, purtroppo
non si vede perché ha fatto la fotografia …

13. due bei regali
un bell'albergo
due begli scialli
una bella bambina
una bell'automobile
due belle automobili

14. Guarda che belle scarpe! – Sì, sono veramente
belle!

Guarda che bei fiori! – Sì, sono veramente
belli!

Guarda che bella bottiglia! – Sì, è veramente bella!
Guarda che begli stivali! – Sì, sono veramente
belli!

Guarda che bel vaso! – Sì, è veramente bello!
Guarda che bei bicchieri! – Sì, sono veramente
belli!

Guarda che begli
orecchini! – Sì, sono veramente
belli!
Guarda che bei piatti! – Sì, sono veramente
belli!

Guarda che bel quadro! – Sì, è veramente bello!
Guarda che bell'orologio! – Sì, è veramente bello!
Guarda che bell'accendino! – Sì, è veramente bello!
Guarda che bella tazza! – Sì, è veramente bella!

15. **a.** - 4 **b.** - 5 **c.** - 2 **d.** - 6 **e.** - 3 **f.** - 1

16. 1 - d 2 - e 3 - c 4 - b 5 - a

1. **b.** quella **c.** quell' **d.** quei **e.** quegli **f.** quelle

2. **a.** quella - quelle gonne gialle **b.** quei - quel fazzoletto bianco **c.** quella - quelle sciarpe verdi **d.** quegli - quell'impermeabile beige **e.** quel - quei cappelli neri **f.** quei - quel pullover grigio **g.** quella - quelle magliette rosa **h.** quelle - quella cintura nera

3. **a.** quell' – Quello – quello **b.** Quella – Quella – quella **c.** Quelle – Quella – quella **d.** quel – quei

4. Aldo ha la giacca viola, i pantaloni rossi, il cappello bianco e le scarpe verdi. Bruno ha il cappello verde, le scarpe bianche, la giacca rossa e i pantaloni viola. Carlo ha le scarpe rosse, la giacca bianca, i pantaloni verdi e il cappello viola. Dario ha il cappello rosso, la giacca verde, i pantaloni bianchi e le scarpe viola.

5. **a.** Quell' ... – No, è piccolo.
b. Quella ... – No, è rumorosa.
c. Quel ... – No, è lontano.
d. Quei ... – No, sono chiusi.
e. Quel ... – No, è vicino.
f. Quel ... – No, è dolce.
g. Quella ... – No, è vecchia.
h. Quegli ... – No, sono analcolici.

6. **a.** provarla **b.** cambiarli **c.** accorciarlo **d.** provarle **e.** accorciarle **f.** cambiarli **g.** stringerla **h.** cambiarlo

7. **a.** accorciare **b.** larga **c.** colore **d.** taglia / misura **e.** corte **f.** allargare

8. *Possibile soluzione:*
- Buongiorno. Desidera?
- *Vorrei vedere quella gonna in vetrina.*
- Bene. Che taglia porta?
- *La 38.*
- Un momento... Ecco.
- *Grazie. Posso provarla?*
- Certo.
- *(Scusi), dove sono i camerini?*
- Qui a destra. Si accomodi.
- *Grazie.*
- Come va la gonna?
- *Veramente è un po' larga.*
- Sì, ma per questo non c'è problema.
  La possiamo stringere noi.
- *Va bene. E quanto viene la gonna?*
- 130 euro.
- *Ah!*
- Però, guardi la qualità è veramente ottima.
- *Sì, la qualità è ottima, ma il prezzo è (molto) alto.*

9. Orizzontali: **1.** scarpe **3.** cappello **7.** guanti **8.** cappotto **9.** taglia **10.** impermeabile **11.** giacca **12.** sciarpa
Verticali: **2.** pullover **3.** calze **4.** pantaloni **5.** maniche **6.** gonna **8.** camicia

10. **a.** Non c'è un colore più scuro? **b.** Non c'è una borsa più economica? **c.** Non c'è un modello più sportivo? **d.** Non c'è un pullover più largo? **e.** Non c'è una gonna più lunga? **f.** Non c'è una camera più silenziosa? **g.** Non c'è un bar più vicino?

11. Le occorre qualcos'altro?
Sì, vorrei vedere ancora una cintura per questi pantaloni.
Di pelle?
Sì.
Le piace questa marrone?
Sì. Quanto viene?
55 euro.
Ah, però! È un po' cara!
Sì, ma guardi, è bella, e poi è di ottima qualità.
Ma sì, va bene, la prendo.

12. **b.** casetta - casa **c.** pizzetta - pizza **d.** panino - pane **e.** telefonino - telefono **f.** cappottino - cappotto **g.** cappellino - cappello **h.** alberghetto - albergo

13. **a.** bicchierino **b.** vestitini **c.** teatrino **d.** ragazzine **e.** minestrina **f.** tazzina **g.** stradine **h.** tavolino **i.** lettino **j.** gattini

14. **a.** palazzetto **b.** isolette **c.** pizzette **d.** spiaggetta **e.** viaggetto **f.** piazzetta **g.** gruppetti **h.** stivaletti **i.** cenetta **j.** sciarpetta

1. **a.** Ha già incontrato qualcuno?
b. ... non abbiamo ancora visto nessuno.
c. Hanno già conosciuto qualcuno?
d. ... non ho ancora chiamato nessuno.
e. Hai / Ha già invitato qualcuno?
f. ... non abbiamo ancora aiutato nessuno.

2. **a.** nessuno **b.** qualcuno **c.** Qualcuno **d.** nessuno **e.** nessuno **f.** nessuno **g.** qualcuno **h.** nessuno **i.** qualcuno / nessuno **j.** qualcuno

3. **a.** ancora **b.** già **c.** ancora **d.** già **e.** ancora **f.** già

4. Manca la caraffa dell'acqua, la bottiglia del vino, il portapepe. Mancano tre tovaglioli, due piatti, due coltelli, due cucchiaini, tre forchettine, due cucchiai, due forchette e cinque bicchieri (fra acqua e vino).

5. **a.** Le ho messe **b.** L'ho preso **c.** L'ho riparata **d.** L'ho vista **e.** L'ha scritta **f.** Li ho comprati **g.** L'ho parcheggiata **h.** Li abbiamo conosciuti **i.** L'ha presa

6. **a.** hai comprato – Il vino l'ho comprato.
b. ha scritto – Le lettere le ho scritte.
c. hai preparato – La cena l'ho preparata.
d. hai aperto – Le bottiglie le ho aperte.
e. avete apparecchiato – La tavola l'abbiamo apparecchiata.

f. hai riparato – La macchina l'ho riparata.
g. avete fatto – I compiti li abbiamo fatti.

7. a. L'ha già comprato?
   b. Le hai già fatte?
   c. Non l'hai ancora riparata?
   d. Non li avete ancora fatti?
   e. L'ha già chiamato?
   f. Li avete già conosciuti?
   g. Non l'hai ancora letto?
   h. Non li hanno ancora fatti?
   i. L'hai già comprata?
   j. Non l'ha ancora prenotata?

8. a. Ne ho letti
   b. Ne ho fatte
   c. Ne abbiamo avuti
   d. Ne abbiamo visti
   e. Ne abbiamo portate
   f. Ne ho conosciute
   g. Ne ho fatti
   h. Ne ha fatti

9. a. abbiamo passato – era – faceva – abbiamo festeggiato – era – c'era – suonava – Abbiamo ballato – ci siamo divertiti – siamo andati – abbiamo brindato

   b. abbiamo festeggiato – Eravamo – abbiamo giocato – ci siamo divertiti – diceva – siamo usciti – abbiamo acceso – abbiamo passato

   c. mi sono ammalata – mi sono divertita – ho bevuto – mi sono messa – Mi sono addormentata – mi sono svegliata – veniva – Ho provato – ci sono riuscita – mi sono alzata – ho guardato

10. a. v **b.** v **c.** f **d.** v **e.** v

11. a. qualcosa **b.** qualcuno **c.** niente/nessuno **d.** nessuno **e.** qualcosa – niente **f.** qualcuno – qualcosa

12. a. ... i fuochi d'artificio ci vogliono!
   b. ... il panettone ci vuole!
   c. ... le maschere ci vogliono!
   d. ... le uova ci vogliono!
   e. ... la torta ci vuole!
   f. ... le bomboniere ci vogliono!
   g. ... i confetti ci vogliono!
   h. ... lo spumante ci vuole!

13. a. Ce la fai **b.** ce la fate **c.** ce la faccio **d.** ce la fa **e.** farcela **f.** Ce la fate **g.** farcela

14. faccio un salto – dà una mano – ce la faccio – ci vogliono – bisogna – basta

15. a. – 5. Mi occorrono
   b. – 4. Ci occorrono
   c. – 6. Gli occorre
   d. – 1. Vi occorre
   e. – 3. Ti occorrono
   f. – 2. Le occorre

16. spumante – cenone – cotechino – carte – chitarra lenticchie – zampone – finestra – salto – scaricare – capodanno – nessuno – vino

buon natale e felice anno nuovo

17. a. è finita **b.** sono finite **c.** abbiamo finito **d.** è cominciato **e.** ha cominciato **f.** ha cominciato **g.** è cominciato **h.** è finito

1. a. Ho visitato le chiese più famose.
   b. Abbiamo avuto la camera più bella.
   c. Ha visto le isole più solitarie.
   d. Hanno visitato le città più caratteristiche.
   e. Ha frequentato il corso più interessante.
   f. Abbiamo fatto il giro più lungo.
   g. Hanno trovato la spiaggia più tranquilla.
   h. Avete pernottato nell'albergo più caro.

2. a. ci vogliono **b.** ci vuole **c.** ci vuole **d.** ci vuole **e.** ci vogliono **f.** ci vogliono **g.** ci vuole

3. a. ci occorrono **b.** gli occorre **c.** ti occorrono **d.** mi occorrono **e.** vi occorre **f.** gli occorre **g.** Le occorre **h.** le occorrono

4. a. ... con cui ho pranzato.
   b. ... che mangio sempre volentieri.
   c. ... a cui chiedo sempre un consiglio.
   d. ... da cui ho saputo tutto.
   e. ... che mi piace molto.
   f. ... per cui lavoro.
   g. ... con cui preferisco viaggiare.
   h. ... che conosco bene.

5. a. da cui **b.** con cui / su cui **c.** che **d.** in cui **e.** da cui **f.** di cui **g.** che **h.** su cui **i.** che – con cui

6. pagamento – biglietto – entrata – pedaggio – uscita – evitare – radio – traffico – casello – biglietto

7. si vuole – si prende – si usano – si va – si trovano – si paga – si prende – si aspetta – si devono – si possono – si abita – si fa – si aspetta – si arriva

8. a. Per avere la colazione in camera, basta telefonare alla reception. **b.** Per cominciare a parlare una lingua, bastano anche due o tre settimane di corso. **c.** Trovare una cuccetta non è un problema, basta prenotare in tempo. **d.** Per non trovare traffico, basta partire presto. **e.** Preparare un buon pranzo è facile, basta cucinare con amore. **f.** Per sapere l'ora esatta, basta telefonare al 161. **g.** Per conoscere le condizioni del traffico sulle strade, basta ascoltare «Onda verde» alla radio. **h.** Per essere alla moda bastano anche pochi soldi.

9. a. bisogna **b.** ci vuole **c.** bisogna **d.** ci vogliono **e.** ci vuole - ci vogliono **f.** bisogna **g.** ci vuole **h.** bisogna

10. a. Vorrei qualche dépliant di crociere. **b.** Hai qualche libro di storia? **c.** Posso invitare qualche amico? **d.** Hai visto qualche posto interessante? **e.** Avete fatto qualche fotografia? **f.** C'è qualche treno prima delle otto? **g.** Hai conosciuto qualche italiano? **h.** Ho comprato qualche giornale per il viaggio.

11. a. alcune **b.** alcuni **c.** qualche **d.** qualche **e.** qualche **f.** alcune **g.** alcuni **h.** qualche

12. a. ci vogliono – ci mettiamo **b.** ci vuole – ci metto **c.** ci vuole – ci mette **d.** ci vogliono – ci mettono **e.** ci mettiamo – ci vuole **f.** ci vogliono – ci mettete

13. *Possibile soluzione:*
– Buongiorno. Senta io volevo andare a Venezia e vorrei alcune informazioni.
– La mattina.
– Il viaggio quanto dura?
– Allora prenderei l'Eurocity che ci mette di meno. Il biglietto quanto viene?
– Allora un biglietto di prima / seconda classe.
– Senta, mi può riservare un posto vicino al finestrino?
– Posso pagare con la carta di credito?

14. a. ci metto **b.** conviene **c.** occorre **d.** ci vuole **e.** bisogna **f.** basta

15. era – si è fermata – passava – Ha provato – ci è riuscito – si è messo – è arrivato – parlavano – cercava – ha visto – è entrato – lo ha fermato – ha chiesto – era – lo hanno riconosciuto – lo hanno salutato – lo hanno fatto – lo hanno portato – gli hanno offerto

16. a. f **b.** v **c.** f **d.** v

LEZIONE 5

1. a. Richiedesi massima serietà.
b. Offresi stipendio adeguato.
c. Offronsi buone possibilità di carriera.
d. Cercansi neodiplomati per lavoro part time.
e. Cercasi segretaria buona conoscenza inglese.

2. Gentile signora Turrini,
al colloquio di lavoro si sono presentate diverse persone di cui due particolarmente interesanti e cioè un giovane di ventotto anni che ha lavorato in America come guida turistica e una ragazza di ventisei anni che ha lavorato in Inghilterra e in Italia come receptionist. Tutti e due parlano almeno due lingue straniere. Tutti e due mi sembrano delle persone affidabili e adatte per il nostro lavoro.

3. a. ho dovuto **b.** ha voluto **c.** ho potuto **d.** ho dovuto **e.** ha voluto – ho dovuto **f.** ho potuto

4. a. quindi **b.** a un certo punto **c.** quindi **d.** a un certo punto **e.** A un certo punto - quindi

5. Gabriele Salvatores è nato …

Quando ha finito il liceo …
Nel 1972 …
Nel 1982 …
In questi due film …
Ma il film …

6. è nato – si è diplomato – si è iscritto – si è laureato – ha prestato – ha soggiornato – ha migliorato – ha cominciato – si è licenziato

7. Angelo Navetti
Viterbo, 3 aprile 1966
italiana
celibe
assolto
Via Brunetti, 15 – Viterbo
Laurea in Economia e Commercio
inglese ottimo
settembre 1992 – gennaio 1993 a Londra
marzo – dicembre 1993 impiegato presso il reparto amministrativo della Speedy Spedizioni di Roma
dal 1994 responsabile dell'uffico contabilità generale presso la Felix S.p.A. di Viterbo.

8. a. Quando è nato Paolo Conte?
b. Quando ha cominciato ad appassionarsi di jazz.
c. Con chi ha iniziato a scrivere canzoni?
d. Chi ha interpretato «Azzurro»?
e. Quando è uscito l'album «Paolo Conte»?
f. Con quale canzone il pubblico ha iniziato a scoprire Paolo Conte?
g. Dove ha suonato a Parigi?
h. Che cosa ha ottenuto in seguito?
i. Che cosa ha confermato «Razmataz»?

9. sono potuta – ho dovuto – sono dovuta – ha voluto – ho dovuto – ha voluto – ha voluto – ha dovuto – ha potuto – sono dovuta

10. si è diplomata - si è iscritta - si è laureata - ha trovato - si è dovuta - ha cominciato

11. a. Mario non è voluto uscire.
b. Non ho potuto telefonare a Luigi.
c. Carlo è dovuto restare a casa con il bambino.
d. Mario e Aldo hanno dovuto aspettare il treno successivo.
e. Veramente non sei potuto/a venire?
f. Franca non è voluta venire con noi.
g. Laura non ha voluto incontrare Michele.
h. Sandra non è potuta arrivare prima delle sei.
i. Non ho potuto dire altro.
j. Perché non siete voluti venire?

12. a. Maria non ha potuto presentarsi al colloquio di lavoro.
b. Loro non si sono voluti/e occupare di questo problema.
c. Io ho voluto iscrivermi a un corso di francese.
d. Noi ci siamo dovuti/e alzare presto.
e. Gli studenti hanno dovuto incontrarsi con il professore.
f. In vacanza Marta si è voluta riposare.

13. a. Lavorando **b.** Abitando **c.** Essendo **d.** Vivendo
e. Facendo **f.** Pagando

14. a. so suonare **b.** sa ballare **c.** sappiamo parlare
d. sa cucinare / preparare / fare **e.** sanno giocare
f. sapete usare **g.** sai guidare **h.** sa lavorare

15. a. so – posso **b.** posso – so **c.** sa – puoi

16. Mi chiamo – ho – a – scuola – ho – a – lavorare –
così / perciò – sono iscritta – imparato – fatto –
lavoro – perché – inoltre – corso – lingue – so –
grado

17. Poi, molto pazientemente, mia sorella gli scriveva il
solito bigliettino: «Il figlio di una mia cara amica»
eccetera. E lui regolarmente si presentava là dove io
stavo girando, all'ora di pausa. «Commendatore,
scusi, sua sorella …» E io ogni volta dicevo «Ma figlio
mio» - lui allora aveva quindici anni - «studia, studia!
Vedrai, un giorno … Adesso studia, però.» «Va bene,
grazie Commendatore.» Tre mesi dopo, era di nuovo
lì. Lui è andato avanti anni, così.

LEZIONE 6

1. a. si è giocato **b.** si sono trovati **c.** vi siete bevuti/e
d. si è fumata **e.** ti sei mangiata **f.** si sono fatti
g. mi sono comprato / a

2. *Diminutivi:* gattino – stradina – coltellino – paesino –
cappellino – cappottino – appartamentino – biscottino

3. a. crosta **b.** straccio **c.** bidone **d.** pizza **e.** mattone

4. cittadina – oretta – piazzetta – mercatino –
appartamentino – cameretta – terrazzino

5.
parlerei	prenderei	capirei
parleresti	prenderesti	capiresti
parlerebbe	prenderebbe	capirebbe
parleremmo	prenderemmo	capiremmo
parlereste	prendereste	capireste
parlerebbero	prenderebbero	capirebbero

sarei	avrei
saresti	avresti
sarebbe	avrebbe
saremmo	avremmo
sareste	avreste
sarebbero	avrebbero

6. a. mi aiuteresti **b.** avremmo – dovremmo **c.** potrei – ti
riposeresti – si divertirebbero **d.** sarebbe – dovrei
e. piacerebbe – vivrei – mi sentirei
f. vorrei – rivedrei – parlerei – visiterei

7. a. potresti **b.** avrei – potrei **c.** vorrei **d.** andrebbe
e. direbbe **f.** avrebbe **g.** diresti

8. a. potrei - imparerebbe **b.** potreste - avreste
c. potrebbe - assumerebbe **d.** potremmo - saremmo

9. Tu vuoi vendere la nostra vecchia macchina, e chi la
comprerebbe?
Tu vuoi avere un grande giardino, e chi lo curerebbe?
Tu vuoi prendere un cane, e chi lo porterebbe fuori?
Tu vuoi comprare una macchina nuova, e chi la
pagherebbe?
Tu vuoi mandare i bambini in piscina, e chi li
accompagnerebbe?
Tu vuoi comprare tutta questa frutta, e chi la
mangerebbe?

10. a. ci **b.** Ne **c.** ne **d.** ci **e.** ci

11. a. meglio **b.** meglio **c.** migliore **d.** migliore
e. meglio **f.** migliore **g.** migliore

12. 1. scaffale **2.** tappeto **3.** armadio **4.** libreria
5. sedia **6.** poltrona **7.** tavolo **8.** comodino
Carrello

13. vorresti – potrei – guadagnerei – lo metterei – mi
piacerebbe – vorresti – sarebbe – mi servirebbe –
dovrei – guadagnerei – avrei – mi piacerebbe –
Preferirei – potresti – basterebbero – li troveresti –
lavorerei – Lavoreresti – basterebbero – avrei –
Dormirei – spenderei – lavorerei – mi arrangerei –
faresti

14. a. di più **b.** di meno **c.** peggiore **d.** meglio
e. maggiore – minore **f.** peggio **g.** migliore
h. peggiore

15. a. in cui **b.** da cui **c.** che **d.** che **e.** in / con cui
f. che **g.** che **h.** a cui **i.** che

LEZIONE 7

1. a. Arriva **b.** Parti **c.** Telefona **d.** Mangia **e.** Prenota
f. Metti **g.** Parla

2. a. comprale **b.** Leggilo **c.** Chiamalo **d.** prendili
e. Provalo **f.** Ascoltalo / Ascoltali **g.** Provala
h. Guardalo

3. a. Sbrigati **b.** sentiti **c.** Riposati **d.** divertiti **e.** Mettiti
f. iscriviti **g.** Sposati

4. a. non accenderlo **b.** non disturbarlo **c.** non svegliarli
d. non berlo **e.** non aspettarla **f.** non prenderla
g. non portarlo

5. a. – c. – d. – g. – h. – j.

6. a. dallo **b.** darle – dalle **c.** dallo **d.** darla **e.** dalli
f. Danne **g.** Dalle **h.** dalla

7. a. Falli **b.** Dillo **c.** Dallo **d.** Vacci **e.** Stacci **f.** Fallo
g. Vallo **h.** Dalli

8. a. sii **b.** Dimmi **c.** vacci **d.** Abbi **e.** fammi **f.** Stacci

9. **a.** Se fai la doccia chiudi bene l'acqua, altrimenti il rubinetto perde.
b. Ogni volta che mangi pulisci subito tutto, altrimenti vengono le formiche.
c. La sera innaffia sempre le piante, altrimenti con il caldo che fa, si seccano.
d. Se usi la lavatrice, spegni lo scaldabagno, altrimenti la corrente salta facilmente.

10. **a.** come **b.** comunque **c.** quindi **d.** perché
e. insomma **f.** altrimenti **g.** tanto **h.** quando

11. Ricordati – dimenticarti – fare – pulisci – usa – Sii – fammi

I letti sono disfatti. Rifalli!
I fiori sono secchi. Innaffiali!
Il salotto è in disordine. Rimettilo in ordine!
Il televisore è acceso. Spegnilo!
I piatti sono sporchi. Lavali!
La macchina è fuori. Mettila in garage!

12. *Possibile soluzione:*
Comincia a studiare una lingua!
Compra qualcosa di nuovo!
Ascolta della buona musica!
Guarda la TV! / Non guardare la TV!
Parla con qualcuno!
Non rimanere solo!
Va' al cinema!
Esci con gli amici!
Cercati un'altra ragazza!
Non stare chiuso in casa!
Leggi un bel libro!
Non fumare tanto!
Fa' un viaggio!
Non bere per dimenticare! / Bevi per dimenticare!
Non prendere dei tranquillanti! / Prendi dei tranquillanti!
Non pensare troppo a lei!
Non essere triste!
Fa' un po' di sport!

13. **1.** difettosa **2.** formiche **3.** chiavi **4.** yogurt
5. volume **6.** allarme **7.** rubinetto **8.** forno
9. finestra **10.** lavatrice **11.** corrente
Frigorifero

14. Prima di partire ritaglia la copertina di una guida inglese e incollala sul tuo libriccino italiano. A seconda se preferisci sembrare un tedesco o no, indossa le calze con i sandali. Segui sempre l'ombrellino colorato che la tua guida tiene alto verso il cielo, senza fermarti di fronte ad ogni vetrina. Non pulire il bicchiere con il tovagliolo e non chiedere il conto prima ancora d'aver mangiato la frutta. Sorseggia sorridendo qualsiasi tipo di bevanda ti venga spacciata per caffè e fingi di non capire tutto sul cambio di valuta. Ricordati che solo gli italiani mandano per cartolina «un caro saluto». Se vuoi davvero nascondere la tua italianità copia gli americani che riempiono di parole, forse a vanvera, anche lo spazio riservato al francobollo.

1. chiami – Riscriva – spedisca – Cerchi – Telefoni – Prenoti Fissi – Si informi

2. **a.** Ormai è buio. Non so se vale la pena di cercare ancora. Forse è meglio continuare domani.
b. Ormai è ora di cena. Non so se vale la pena di prendere un caffè. Forse è meglio cercare un ristorante.
c. Ormai è l'alba. Non so se vale la pena di andare a letto. Forse è meglio prendere un caffè.
d. Ormai sto meglio. Non so se vale la pena di restare a letto. Forse è meglio uscire un po'.
e. Ormai ho imparato abbastanza. Non so se vale la pena di studiare ancora. Forse è meglio fare due passi.
f. Ormai hai vinto. Non so se vale la pena di giocare ancora. Forse è meglio smettere.

3. **a.** Vada dalla signora Manzi e le domandi se è arrivato il fax.
b. Scriva una lettera all'architetto e gli ricordi di mandare una copia del progetto.
c. Chiami il tecnico e gli dica di venire subito.
d. Mandi un fax alla signora Parini e le chieda se può tradurre questo contratto.
e. Parli con la sua collega e le raccomandi di essere puntuale.
f. Telefoni all'avvocato e gli chieda se può fissarmi un appuntamento per dopodomani.
g. Scriva alla signora Bini e le dica di finire il lavoro al più presto.

4. **a.** Le – Le **b.** ti **c.** gli **d.** ti **e.** Le **f.** le **g.** ti **h.** Le **i.** vi
j. gli – gli

5. la – le – le – gli – gli – lo – le

6. **a.** ti serve **b.** mi serve **c.** mi serve **d.** Le servono
e. Ci serve **f.** vi serve **g.** le serve **h.** gli serve **i.** gli servono

7. **b.** l'ho accompagnato **c.** li abbiamo incontrati **d.** gli ho mandato **e.** l'ha trovato **f.** gli ho raccomandato **g.** le abbiamo aiutate

8. **a.** Signor Bianchi, porti la macchina dal meccanico, per favore!
b. Signora Martini, controlli il programma, per favore!
c. Dottor Vitti, faccia una telefonata alla società A.R.L.A., per favore!
d. Signorina Dossi, spedisca questo pacco, per favore!
e. Signor Petrini, metta un annuncio sul giornale, per favore!
f. Signor Cascio, si metta in contatto con il ministero, per favore!

9. **a.** Chiediamo il conto. Anzi, lo chieda Lei.
b. Ordiniamo l'archivio. Anzi, lo ordini Lei.
c. Prenotiamo un tavolo. Anzi, lo prenoti Lei.

d. Correggiamo la lettera. Anzi, la corregga Lei.
e. Invitiamo i signori Rossi. Anzi, li inviti Lei.
f. Controlliamo il bilancio. Anzi, lo controlli Lei.
g. Chiamiamo il signor De Mauro. Anzi, lo chiami Lei.
h. Aiutiamo le colleghe. Anzi, le aiuti Lei.

10. **a.** ormai **b.** A questo punto **c.** A questo punto
d. Ormai **e.** ormai **f.** A questo punto **g.** Ormai - A questo punto **h.** ormai **i.** Ormai **j.** A questo punto

11. Scriva subito una lettera, anzi mandi un fax.
Può chiedere alla collega se è arrivata la lettera?
Non vale la pena di entrare, ormai il film è cominciato da mezz'ora.
Puoi venire quando vuoi, tanto sto a casa tutta la sera.
Le valigie sono pronte: a questo punto possiamo partire.
Prenota tu i biglietti perché io adesso non ho tempo.

12. La – Le – La – La – Le

13. scusare: scusa, scusi, scusate
prendere: prendi, prenda, prendete
sentire: senti, senta, sentite
spedire: spedisci, spedisca, spedite
accomodarsi: accomodati, si accomodi, accomodatevi
riposarsi: riposati, si riposi, riposatevi
andare: va', vada, andate
avere: abbi, abbia, abbiate
dare: da', dia, date
dire: di', dica, dite
essere: sii, sia, siate
fare: fa', faccia, fate
stare: sta', stia, state
tenere: tieni, tenga, tenete
venire: vieni, venga, venite

14. sia – abbia – venga – tenga – dia
Siena

15. a. … venga presto domani!
b. … tenga Lei le chiavi!
c. … stia tranquilla, non si preoccupi!
d. Mi raccomando, vada piano con la moto!
e. Le chiavi, le dia alla vicina!
f. Mi dica chi ha telefonato!
g. Sia gentile, mi faccia un favore!
h. Abbia pazienza, è un bambino!

17. in – Le (Mi) – li – le – gli – prenoti – metta – con – più

ELENCO FONTI

Il CD contiene tutti i testi e gli esercizi contrassegnati dal simbolo CD$_1$.

Durata: 42 minuti
© 2005 Guerra Edizioni - Perugia
Tutti diritti riservati.

Speakers: C. Conforti, L. Cusimano, G. De Rossi, V. Di Pasquale, M. Gonçalves,
C. Lacagnina, M. Montemarano, D. Pecchioli, D. Piotti, G. Romano, R. Rossi, L. Ziglio

Finito di stampare nel mese di agosto 2005
da Guerra guru s.r.l. - Via A. Manna, 25 - 06132 Perugia
Tel. +39 075 5289090 - Fax +39 075 5288244
E-mail: geinfo@guerra-edizioni.com